エッセイを書こう

心を伝える楽しみ

水木　亮著

山日ライブラリー

目次

エッセイとは何だろう

私は、『文芸思潮』という文学の雑誌が年に一度主催するエッセイ賞の審査員をしている。高校生から八十代の高齢者まで幅広い年齢層からの応募があり、その総数は毎回増え続けていて、エッセイの人気には目を見張るものがある。数十編が優秀作品として選ばれるわけだが、一方で、中にはとてもエッセイとは呼べない残念な作品があることも事実だ。

後で述べるが、エッセイを書くことの真の効用は、文章がうまく書けるようになること以外にもたくさんある。しかし、誰にも読ませないならともかく、書くことを楽しみ、コンクール等に応募しようとするのであれば、より良く書けることを目指す必要がある。

そこで、これからエッセイを書いてみたいという初心者、またはコンクールで入選を狙いたいと考えている方々に向け、今までの経験から私の思うところをまとめてみることにした。『文芸思潮』のエッセイ賞受賞作や私が主宰するエッセイ教室「エッセイ花みずきの会」の会員が書いた作品などを紹介しつつ、わかりやすく説明したいと思う。

しかし、エッセイというのはどのような文章作品のことを指すのか。結論から言って、ひと言で定義付けするのはとても難しい。辞書の類には「自由な形式で、気軽に自分の意見などを述べた散文」などとあるが、これでは何だか摑み所がない。エッセイは、小論文、コラム、小説、日記など他の文章作品との線引きが至極曖昧なものなのだ。

ここでは他のジャンルとエッセイの違いを述べる。その相違点を踏まえ、エッセイとはこんなもの、という感覚を得ていただきたい。

小論文とエッセイの違い

小論文、もしくは論文は、ひとつのテーマに関して問題提起し、結論に至るまでの持論を展開する文章である。個人的な見解を述べるという自由はあるが、結論を導き出すまでの過程で採用する事例や分析結果は事実に裏付けされたものでなくては説得力に欠ける。ここがエッセイと大きく違う点だ。

のちに述べるが、エッセイはフィクションを用いても構わない。読者の琴線に触れる作品にするために、必要であれば創作の部分があってもいいのだ。

小論文や論文は主張するために書き、読み手は知識や教養を得るために読む。学問的な匂いを感じさせるものだ。それに対してエッセイは、おもに心情に訴えるためのものであると考えてもいいだろう。

コラムとエッセイの違い

コラムは、新聞や雑誌の一部として掲載されることを前提に書かれたものである。読者は不特定多数。誰もが知り得る、また興味を持つようなテーマを掲げ、それを分析し、自分の意見や感想を述べる。

エッセイが題材としてごく個人的な出来事を扱うことが多いのに比べ、たいていのコラムは発表の場がマスメディアであるという性質上、時事問題や文化・歴史・教養といったテーマが多い。短い評論文とも言えるだろう。

では、時事問題をテーマにして書いたものはエッセイとは呼べないのかというと、決してそうではない。エッセイは自由に書いていいのだ。コラムとして書いても、エッセイとして書いても結果同じ内容になることは有り得る。

小説とエッセイの違い

小説はフィクションである。時代設定、ストーリー、舞台となる場所、登場人物など、すべて書き手の創作により独自の世界がつくられる。地図上にない架空の島での物語でも、火星人が登場しても、一向に構わないのだ。

それに比べてエッセイは事実に基づいて書くのが一般的だ。自分が体験したこと、知人から聞いた話、あるいは日々感じていることなど、何らかの形で自分が関係している題材を文章にしていく。

しかし、小説の中にはその点でエッセイにそっくりなものもある。いわゆる「私小説」がそれだ。これは作者が自分の体験を小説に仕立てたもので、この日本独特の作品たちが小説とエッセイの境界線をわかりにくくしていると言える。

日記とエッセイの違い

最近はブログなどで公開されているものもあるが、原則として日記はごく個人的な文章だ。記録として、あるいは気持ちを整理する手段として自分のためだけに書くものである。当然のことながら、書き手も読み手も自分ひとりだ。

その点、エッセイは他人が読むことを想定しながら書く。したがって読者に向けてわかりやすく伝わりやすい文章にする工夫が必要になってくる。経験した出来事や感想を書き記すという意味合いでは似通っているが、その表現方法は大きく違ってくるのだ。

これから初めてのエッセイに挑戦してみようという方には、却って混乱を与えてしまったかもしれない。しかし、最低限の知識と感覚は必要だと思う。これがないまま書くと、エッセイでないものをエッセイコンクールに応募してしまうことになる。エッセイと名のつく作品を多く読んでみることもお勧めしたい。うまいエッセイ、そうでないエッセイを読むことで感覚も磨かれる。

自分が経験したことを誰かに伝えたいと思ったとき、そこにエッセイの種がある。お茶を飲みながら親しい友人に話して聞かせたい出来事を文章にしてみるといい。一編、二編と書くうちにわかってくることもたくさんある。

何を書くか、そのヒント

エッセイを書くにあたって、まず悩むのはその題材だ。それは初心者のみならず、書き慣れたベテランにとっても同じことである。テーマが設定されたコンクールなどは別として、エッセイは何を書いても自由だ。選択肢が無限にあるということは、なかなか選びきれないということでもある。

エッセイの良し悪しは、題材を選ぶ時点である程度決まってしまうと言ってもいい。読み手の立場になれば誰にでも容易に分かることだが、「朝起きて顔を洗い、仕事に出かけ、買い物をしながら帰宅し、夕飯を作って食べた。平和な一日だった」というエッセイを誰が面白おかしく読むだろうか。読者に興味を持たせ、共感を得るための題材は多少なりともインパクトのあるものでないといけない。

第四回『文芸思潮』エッセイ賞（二〇〇八年）で当選作（最優秀賞）に選ばれた栗山恵久子さんの「伴走者」には、知的障害とてんかんを合わせ持った娘に、粘り強く連れ添って生きていく姿が描かれている。近隣や学校からの苦情、さらに夫の無理解、離婚。「もう来なくてよい」と学校から言われ、市立中学校をやめさせる。文字が読めない、お金の計算もわからない我が子を、バスと電車を使って養護学校に通学させた。その甲斐あって娘は通所更生施設で働き始めたという。

気持ちに余裕のできた筆者は、臨床心理を学ぶため大学院に進むことにした。自分は娘の伴走者だと思っていたが、実は彼女こそ自分の伴走者ではなかったかと結ぶ。ひたむきに子どもと正面から向き合ってきた母親のパワーは、文句なしに読む者を圧倒する。

同じ回で優秀賞に選ばれた三輪レイコさんの「宣告」には子ども二人が自閉症の診断をうけ、紆余曲折の中で苦しみながら生きていく母親の姿が描かれている。医者の一言でいかに親が傷つきながら我が子のために格闘するか。まさに母親でなければ書けない力強いエッセイで、最優秀賞と紙一重の作品であった。

また、第六回『文芸思潮』エッセイ賞（二〇一〇年）最優秀賞、上村和子さんの「生かされた命の役目」には、阪神大震災で命拾いをした筆者が、登校拒否の孫と命がけで格闘する姿が描かれている。

しかし、こうした切実な題材以外にも、平凡だと感じる日常の中に題材がないわけではない。具体的にはどうすればいいのか。

ここに紹介するのは六十代女性のエッセイだ。参考にしてほしいので全文を引用する。

のし袋　日沼よしみ

結婚してまだ間もないころ、知り合いのところで葬式がでた。焼香に出向くことになり、近所の雑貨屋へ、黒いのし袋を買いに行った。ごく当然のごとく、十枚入りを一袋買って戻ったところ、姑がいたく不機嫌で、一枚だけと交換してくるように言う。嫁と母親の間に立って、夫は、どっちでもいいだろうがといった風情で、そっぽを向いていた。三者三様何とも居心地悪い中、私は、名前の書き損じもあれば、なんで十枚入りはいけないのかと思っていると、そのわけを言う代わりに、姑は「赤いのし袋は十枚入りを買ってよい」と言う。間を置かず、姑の思うところを私なりに理解した。要するに、黒いのし袋の買い置きは、万端用意して、ひとの不幸を待ち構えているようでよくないということなのだろう。実家がどんなふうだったか記憶はないのだが、少なくともそのゆかしさは教えられていなかったことを思いながら、交換してもらいに行くと、鼻眼鏡のおばさんが嫌がりもせず、上目づかいで私を見ながらニコッとして、深めの菓子折りのような箱から一枚取り出し、「はい、三円」と言った。

そして時を経て、あれはいったい何時ごろのことだろう。通夜から帰り、いただいた返礼を開けてみると、いきなり赤いのし袋が出てきて、びっくり仰天。落ち着いて、包みを全部開けると、黒いのし袋が数枚重なって入っている。まさか、家族を送ったことを喜んでいるわけでもなく、又、こののし袋に香典を入れてきてくださいというのでもなかろうと、しばらく考え込んでしまった。

めまぐるしく変わった世の中は、そのスピードとともに、ひとの心の在りようも変えてきた。のし袋をバラで売っていた町の小さな雑貨屋はなくなり、スーパーマーケットや文具店で買うそれは、ほとんどが、赤も黒も十枚入りだし、通夜返礼でのし袋をいただくこともたびたびだ。

のし袋を入れておく我が家の小引き出しは、引き出しがしめ切れないくらい詰まっている。この間整理しようと思って引っ張り出してみると、残っているのは黒のしばかりだった。もっぱら赤いほうを多く使う暮らしぶりを喜ぶべきだろうが、積まれた黒のしを、私は複雑な思いでながめた。いつのころからか、姑も時勢を察してのし袋の備え置きをとがめたりはしなくなったが、とがめられていたころの情緒を懐かしみつつ、なんとなく、気持の落ち着かせどころがなくなっている自分に気付く。不幸が詰まっているとも思わないが、こんなにたくさんの哀しみに立ち会いたくはないなと、つくづく思う。

今日、引き出しの黒いのし袋を全部焼いた。

のし袋という日常生活で使われる品。それにまつわるエピソードを題材にして揺れる想いを描いている。結婚したてのまだ世間知らずの嫁と、人生経験豊富な姑との微妙な対立。多くの人が経験し得る状況が読者の共感を呼び、どんな結末になるだろうかと興味津々で読み進ませる。時代も変わり、姑がこだわったようなことも忘れられていく現在、かつての姑の小言もいまでは懐かしい思いがすると結ぶ。平凡な暮らしの中のちょっとした出来事をうまく拾い上げた繊細なエッセイになっている。

また、読者を笑わせ、楽しい気分にさせる軽くて愉快なエッセイもある。

喪服

桜井小百合

隣の家のお爺さんが亡くなり、困った事になった。

葬儀の手伝いをしなければならないのだが、喪服が無い。正確に言えば喪服が無いのではなくて、喪服に体が入らなくなってしまったのである。

二十数年前に購入したもので、それから年々、少しずつ体重は増加し、その喪服もキツくなっていき、それでも無理やり着ていた。しかし、つい一か月ほど前の知人の葬儀の時には遂に後ろのファスナーが自分では上げられなくなってしまった。旦那に手伝って貰い、息を吐いてなるべく体を萎ませたところで旦那が一気にファスナーを上げるという作戦を試みるもなかなか上手く行かず、およそ二分間すったもんだした挙句にファスナーは上がった。冬だというのに私も旦那も汗だくである。

そしてやっと着られた喪服は、ぎゅうぎゅうに中身が詰まったソーセージみたいだ。

覚悟を決めて新しい喪服を買いに行くことにした。

店員さんが

「なるべくゆったり目のものをお選びになられた方がよろしいですよ」

と言うので、結局少し大きめの物を購入した。

その帰りに喫茶店に立ち寄った。思ったよりもお金が浮いたので、奮発してシフォンケーキも注文。コーヒーを飲んでケーキを食べて、一息ついたところではっと我に返った。

歴史は繰り返される。綺麗に平らげられたケーキの皿を見つめた。

太ったことで大変な思いをしたばかりなのに懲りない自分。それを面白おかしく伝えるために、喪服というアイテムを使った。無理やり着る場面を滑稽に描写し、無心に平らげてしまったケーキに「歴史は繰り返される」とオチをつけた。喪服がきつくなったから新調したというだけの平凡な出来事は、普通なら日常の中に埋もれてしまうものだ。作者はそれを目ざとくすくい上げ、エッセイに仕立てている。身に覚えのある読者は、思わずニンマリしてしまうであろう。

重要なのは着眼点なのだ。代わり映えしない日々の中に、視点を変えれば良いエッセイの題材になる出来事はたくさんある。それに気づく心の目を養うことが大切だ。

冒頭とタイトル

エッセイの文字数は、四百字詰め原稿用紙にして二枚から十枚ほどが一般的である。コンクールの応募条件には文字数の指定があるが、おおむねこの範囲内だ。熟練者になるとテーマが決まった時点で大まかな構成と枚数が予測できるようになるが、初心者には難しい。とりあえずひと通り書いてしまってから、何度も推敲を繰り返してバランスを整え、読みやすいエッセイに仕上げていくのがいいと思う。

肝心なのが、その書き出しだ。冒頭部分はエッセイにおいてとくに重要である。第一印象となる初めの二百文字くらいで「面白そう」と思わせなければならないからだ。コンクールの審査などでは、冒頭がつまらないと最後まで読んでもらえない可能性すらある。

例えば、昨今の経済不況に始まり、地球温暖化の問題などの解説へと広がり、政治の話かと思えば、こういう不況のときにこそ花を愛でるのはよいことだと展開し、桜は何と言っても○○の桜がいちばんであると、やっと本題の桜見物の話となる。テーマにたどり着くまで、その背景を長々と説明している冒頭は読者を飽きさせる。

あるいは、私は何年生まれの何歳で、何県何市に育ったという自己紹介から始まり、家族構成を説明したあと二人の弟のうちすぐ下の弟が小学二年生だった頃の話へと移行する。これも読者を退屈させてしまい、うまい「つかみ」とは言えない。

では、どんな冒頭が読者の心を惹きつけるのか。

模範例として『文芸思潮』の第一回エッセイ賞（二〇〇五年）で最優秀賞に選ばれた作品の冒頭をあげてみよう。

私が四歳の冬は、父が入植時に造った掘っ建て小屋に、九人の家族がひしめき合っていた。兄弟は身体がくっついただけで喧嘩になった。居間にあるたった一つの窓からは吹雪の様子や、太陽の様子、星や月の様子が窺えた。ラジオもない、電灯もないランプ一つの生活であった。大きく切られた炉に薪がくべられ赤々と燃えていた。

（「ヌヌ」本間美紗子）

開拓地での貧しい暮らしの中で、幼い頃の作者によく懐いていたニワトリの「ヌヌ」が、生活のため父親に殺される。その別れの場面を「首のない鶏が四、五メートル飛んだ」「羽はふわふわと風に舞い、名残惜しげに、別れを惜しんでいるように、飛び去らなかった」と表現する。作者の生きることへの悲しみが胸を打つエッセイで、その書き出しにふさわしい情景である。

また、こんな書き出しで始まる作品もある。

グアーン。蒲団をはねた夫の手がすごい勢いで私の頬で鳴った。あまりの痛さに頬を押さえてうずくまる。耳の下が異常にうずく。口を開けようとしても開かない。口べたな夫はいつも手が早かった。

（「逆転」中田　澄江）

これはただ事ではない、と思わせる冒頭である。これからどんな展開になるのかとハラハラさせる書き出しは、一瞬にして読者を惹きつける。

ここで挙げた二編が、どちらも情景の描写から書き出していることにお気づきだろうか。このように必要な説明があってもそれは後回しにして、読者が頭の中でその状況をすぐに想像できるような描写から書き出すといい。風景や人物の動作、あるいは会話を一行目に持ってくるのだ。冒頭は、読者を作品の世界へ瞬時に引き込むために有効なものである必要がある。

またタイトルも、同じような意味合いで上手に利用すべきものである。本文のすべてを集約し、ひと言で言い表すのが一般的なつけ方だと思うが、そうでない方が効果的な場合もある。

例えば、幼い頃の夏休みの出来事を書いたエッセイなら「夏休みの思い出」というありふれたタイトルになりがちだが、これはあまりにも漠然としていて、読者の目に魅力的には映らない。ピンボケ写真を見ているような印象と言えばいいだろうか。ならば、本文中で重要な役割を担うアイテムを用い「カブトムシ」としたらどうだろう。ピンボケ写真の輪郭が少しはっきりとしてくる。

単語の組み合わせに意外性を持たせる手法もある。「夫の恋人」とか「婆ちゃんの髭」というタイトルを見れば、これはどういうことだろうと読者の食指が動く。

エッセイの完成度を高める上でも、タイトルはおざなりにできない部分だ。有効に活用したい。

以下に私がうまいと思うタイトルと冒頭を紹介する。ぜひ、参考にしてほしい。

にいさん　　入倉　文子

夕方、学校から帰って玄関を開けると、甘じょっぱい、こうばしい匂いが漂ってくる。母が鶏（とり）もつを煮ているのだ。手早く炒りつけられた鶏もつは、つやつやしたチョコレート色でほろりと柔らかく、「キンカン」と呼ばれる卵黄が色鮮やかだ。

山梨の郷土料理である「鶏もつ」の香りから始まる。炒めた鶏肉の甘じょっぱい香りと照りが漂う。さらに卵黄の色から食欲をそそり、思わず読んでみたい気持ちになる。タイトルは、ただ「にいさん」とし、誰のにいさんか、どういうにいさんかをあえて伏せている。謎めいた部分を読者に投げかけるのである。

二流の息子、三流の親

徳山　容子

左手と両足を使って、まるでプロレスの技でもかけるように子どもを床に押さえつける。私の右手に握られていたのは凶器ならぬ歯ブラシ。末息子の嫌がりようは三人の子どもの中でもとくにひどく、逃げ回り、泣きわめき、口をこじ開けようとする私の手に噛み付くという抵抗をみせた。

何が起こっているのだろうという印象をうける。歯磨きが嫌いな息子に、歯ブラシをさせようという場面だが、このようにアクションで魅せるのも有効な方法である。タイトルは、通常「二流」「三流」という言葉と組み合わせることのない「息子」

「親」を用い、意外性を持たせている。

誤解

中田　澄江

娘の言葉に私は耳を疑った。

「ジョージはお母さんの顔を見たくないから去年は来なかったんだよ。今年はお父さん達が日本に来るので、仕方なく一緒に来るけどね」

顔を見たくない？　なぜ？　どうして？　驚いて見返した娘の目の中に、怒りと憎しみがあるのを見て私は愕然とした。

事件の勃発を感じさせるこの書き出しも、読者の気持ちを引き込んで有効である。タイトル「誤解」は、本文を集約した言葉である。

好ましくない表現

うまいエッセイ、良いエッセイとは、どんなものだろう。本来エッセイは、自由に書き、自由に表現するものだ。ゆえに多種多様な形の作品が生まれ、それぞれに違った魅力を持ち合わせている。そういった意味で、一概に良いエッセイを言い表すのは不可能かもしれない。

さらに読み手の好みによっても評価が変わる。コンクールの審査では、最終的には力のある審査員の趣味嗜好に委ねられると言っても過言ではない。入選するには、審査員との相性が良い方が有利だ。運も必要なのだ。

しかし、お粗末な作品は誰が読んでも確実にそれとわかる。何が違うのか。それは表現する技術の差だ。エッセイの評価のカギは、出来事をいきいきと伝える技術にある。技術は努力次第でいくらでも向上させることができるものだ。初心者でも一作目から及第点に届くようなエッセイを書くために、知っておくべき注意点をここで取り上げる。ぜひ、覚えておいて欲しい。

使い古された言い回し

日常でよく見かける慣用句のような言葉はとても便利だ。無意識のうちに安易に用いてしまいがちだが、その場面で自分が本当にそう感じたか。自分の感覚で今一度計り直してみるといい。

例えば「赤」という色を形容する表現を考えてみる。

赤にもさまざまあり、さらに千差万別の感覚やその赤を見たときの心理状態などによって、言葉の選び方は無数にあるはずなのだ。「燃えるような赤」という言い回しを聞いたことがあるかと思うが、どこかで聞いたようなその形容が本当にふさわしいのか、よく考えてみることだ。「しっとりと濡れたような赤」なのかもしれないし、「落ち着きのある深い赤」なのかもしれない。耳慣れた言い回しに頼ることなく、自分の感覚で表現したい。重要なのはオリジナリティを活かした新鮮な言葉を選ぶことだ。

次にあげるのは使い古された鮮度の低い表現の一例だ。
＊灼熱の太陽
＊とぼとぼ歩く
＊コトコト煮込む
＊爽やかな汗
＊雲ひとつない青空
＊雨がしとしとと降る

三点リーダー（……）やダッシュ（——）の多用

文末や会話の中に三点リーダーやダッシュを多用する人がいる。どうぞ想像してください、とばかりになんとなくぼかす。複雑な感情や余韻、または会話の「間」を表現したつもりだろうが、ほとんどの場合、それらは不要である。多用すると読みづらく、全体を通して曖昧な作品になってしまう。

さらに感嘆符（！）や疑問符（？）、または台詞の語尾に多い音引き（ー）や波ダッシュ（〜）もあまり意味がない。強調したい気持ちはわかるが、なるべく使わないで表現したい。

三点リーダーを使用しがちな例を以下にあげる。
＊「……」
＊「まさか……　そんな……」
＊「やはり年なんだなあ……」
＊「知らなかったんだ、ごめんね……」
＊「お願いできるでしょうか……」
＊「こんなことわかっていたのに……」
＊「それもわるくないかも……」
＊「なぜ？……　どうして？……」
ダッシュの例もあげる。

＊切り口をそっと舐めてみる――。
＊私の母がそうだったように――。
＊そうなんだ――
＊そう決まっていたのか――

ひとりよがりの情緒的な言葉

『文芸思潮』のエッセイコンクールに応募される作品は、情緒的で繊細な感覚を持っている人の手によるものが多い。そういう人は言葉の選び方に長けていることがほとんどだ。しかし反面、情緒的であるがゆえに感情表現がオーバーになってしまうケースも少なくない。自分に酔いしれていると言ったらいいだろうか。このようなひとりよがりのエッセイは、読者をしらけさせる。

悲劇のヒーロー・ヒロインさながらの感情表現や、どこかで聞いたことのあるような嘘っぽい言い回しは、読んでいる方が恥ずかしくなるので気をつけたい。

＊花にほおずりしながら

＊心がほっこりする
＊おもわず涙が頬をつたった
＊花の香りがほのかに漂ってくる
＊ほっと胸をなでおろした
＊一抱えのわすれな草を携えて

次に紹介するのは六十代女性の作品だ。この方は私のエッセイ教室で七年ほど勉強し、今ではコンクールでたびたび入選しているが、これは彼女の初期の作品。少し申し訳ないが、初心者の例として紹介させていただく。

身延まんじゅう

一昨年[※1]私は身延に行った。日蓮宗でもなんでも無いのだが、なぜかあそこが好きで時々出掛けてゆく。

一人富士川沿いを下り久遠寺を目指す。寺に着くとその裏手から、更に片道切符でロープウェーに乗り山頂の思親閣まで行く。下りは九十九折りの杉木立の参道を、ことことと歩いて下るというのがいつもの行程だ。

その日、山頂の思親閣には初夏の陽射しが眩しいくらいにあふれ、参拝客[※2]が三々五々カメラをぶらつかせながら、寺の周りや対岸の七面山を眺めたりしていた。

私も眼下の緑の山ひだにわずかに覗く集落を眺めたり、足元に咲くカタクリの花をカメラに収めたりしながら、閑静なたたずまいの寺を仰ぎ見て歩いた。

いつもならこのまま山をくだるのだが、その日は何とはなしに御守札の並んでいる案内所に足が向いた。

「[※3]あのーお願い事をするには……」

恐る恐る声をかけてみた。

「どんな願い事ですか？」

カウンターの向こうから明るい声と共に、剃り上げた頭が青々とした丸顔のお坊様が顔を出した。

「[※4]九十を越えた姑が迎えるこれからの……」

「あーお母さんのですね。それではこの用紙に願い事を書いて下さい」

親切に応対してくれ、私はそのまま奥の待合室に通された。

誰もいない部屋でしばらく待っていると、こんどは年輩のお坊様が入ってこられ、私はうながされて本堂に入った。

お坊様は中央の一段と高い席に上がると、手にしていた物を前に置き、おもむろに経を唱えながら眼前の御簾を上げた。するとそこに御本尊様が現れたので、私はあわてて頭を下げ手を合わせた。

やがて上から聞こえてきたのはお経ではなく、私の書いた願い文であった。しばしば私の名前や親孝行と言う言葉も聞こえてくる。

「[※5]あーそうか、私に代わって仏様にお願いしてくれてるんだな……だけど私は親孝行などという殊勝な文句は書かなかったのに……」

私はずっと手を合わせてうつむいていたが、途中でちょっとだけ顔を上げてみた。その時、あろう事か仏様と目線が合ってしまった。いや確かにそのように思った。

と同時に私自身の心に、強い思いが走ったのだ。

「※6姑のこれから迎える人生の最終など、願かけなどするまでもなく、それは私の手の内に有ることではないか」……と。

それは常日頃思っていたことなのだが、なぜか改めて強く自分自身に言い聞かせた、と云う感じであった。

そのあと、むずかしい願い文をしたためた木札のお守りを頂いて私は山頂の寺を後にした。下山は徒歩である。杉の大樹が両脇に並ぶ急勾配の道を、石段に足をとられながらひたすら下った。

「※7こんなこと分かっていたのに……」

繰り返し心の中で声がする。

九十五歳の姑と同居して四十三年。少なくとも表向きは口応えひとつせずに今日まで来た。

「※8愚痴をこぼしたら自分に負ける……。助けを求めたら心に綻びが生じる……」

その一念でひたすら耐えてきた。それが、ようやくこのところ目に見えない力関係が逆転しかかってきたというのに、自分はこの期に及んでも、まだこんな事をしている……鬱蒼とした森の湿った道を黙々と下りながら、心の奥で激しく葛藤した。

「今までのことは水に流せ……頑張り通せたのだからそれで良いではないか……」

どこかで別の自分が囁く。

結局願を掛けるということは、自分で自分に思いを背負わせるということではないか、そう思った。

年老いて、過去の自分など振り返る術すら持たないまま、日々に子供に戻りつつある姑に、

「そりゃあないよ！[※9]　お姑(かあ)ちゃん、いくら何でも虫がよすぎる……」

心底言ってやりたい思いはあった。けれど、すでに相手は土俵から降りてしまっているのだ。

私は対等に立ち合うことの無いまま、土俵に残された不戦の敗者なのである。

年老いた者を相手に勝ち目などある訳が無い。嫁いで此の方、どんな思いがあるにせよ心の器を大にして、もはや許すしかないではないか。

女[※10]とは、日本の嫁とは……こと現在に至っても、まだ辛さ悔しさをこんな形で始末するしかないのだ。私[※11]は許すことの辛さに泣きながら、それでも願を掛けたお守りを抱いて、これから迎える姑の最期までの道程を、しっかり自分が支える覚悟を胸に刻んだのだった。

家に帰り着いたのはまだ畑中に残照が残っている頃だった。

「ただいまー[※12]」

「あーおかえり、早かったなー」

「はい！　お姑ちゃん、身延まんじゅう買ってきたよ。それにこれ！　お・み・や・げ……」

私は願掛けをしたお守り札を、まんじゅうの折と一緒にお勝手のテーブルの上に並べた。

姑は夕餉の支度の野菜でも洗っていたらしく、濡れた手をエプロンで拭き拭き覗き込んだ。

「なんでーこれは……」

「あのね、これは思親閣の偉いお坊さんに、お姑ちゃんが最期の時までずーっと病まずに長生き出来るように、って願を掛けてもらった御札なの……」

「ほー。でかい御札だなー。こりゃーご利益がありそうだ」

「ちょっと、このおまんじゅうでお茶にしようか……」

折をほぐすと、ほっこりした小ぶりなまんじゅうがほのかに匂った。

[※13]「これはどこへしまわっかなー。神棚ってのも変だし、たんすの中っちゅうのもなー。やっぱりお仏壇の中かなー」

「じゃーお舅（とう）ちゃんのお位牌の隣に置いたらー。お舅ちゃん、もう少しお迎えに来るの待って下さいねってさ……」

二人で大笑いしながら、結局木の御札は仏壇の隅に、ご先祖様のお位牌と並んで納まった。これでいいんだ……これが私の積み重ねた四十三年なんだ。

不戦敗ではなく、不戦勝かもしれない。それもわるくないかも……。

「なんだ、旨そうなものがあるな」

帰って来た夫が、一気にまんじゅうを何個も口にほうり込んだ。

あれからもう二年程過ぎたろうか。姑は相変わらず元気だが、以前のようなキッとした精彩はなく、時折に子供のような笑みを私に見せるようになった。耳が遠くなったせいだろう。私は大きな声で何回でも同じことを話しかけてやる。肩に力のはいらない日々がようやく送れるようになった。

以下に細かく改善すべき点をあげてみる。

※1　書き出しのこの二行はいらない。次にどこへ行ったか示されている。

※2　「ぶらつかせながら」は間違いではないが「ぶらさげて」でいい。

※3　「あのー」の「ー」はなくてもよい。口から出た音を忠実に再現しているのだろうが、文章にするとだらしない感じがする。音引きは方言や強調するときなどにも使われるが、多用は避けたい。

※4　「……」は、余韻、ためらいなど心理的な内容を表すために一部の人が格別好む表現だが、これも何回も使わないことが肝要である。ここではすでに、五行前に出ている。

※5　自分の心象風景を「……」で表すべく、ここにも「……」を用いている。多用されていてわずらわしい。

※6〜※10　このように「……」の見事なまでのオンパレード。「そりゃあないよ！　お姑ちゃん」の「！」も注意したい。

※11　「私は許すことの辛さに泣きながら」は言い古された感情過多の表現である。

※12　「ただいま」（音引きは不要）に「はい！　お姑ちゃん身延まんじゅう」を続けることが出来る。「あーおかえり、早かったなー」はなくてもよい。「お・み・や・げ……」という表現も間延びする。「おみやげ」でいい。また続く「……」もいらない。

※13　ここの「ー」も以降の「……」もいらない。一行前の「ほのかに匂った」もありふれた表現である。自分の言葉を探したい。数回語尾に「ー」がついているが必要ない。方言の味を出すとしても一度でよい。「ー」「……」が多いのは、余韻を出すつもりだろうが、くどい。

全体的には、改行も工夫が必要である。ぶつぶつ切らずに、内容ひとまとまりで改行する方がいい。タイトルもテーマに沿って具体的な題名に変えたほうがいい。
このエッセイは嫁が身延山に詣で、姑のために願い文をした話である。嫁と姑の確執は多く存在する。いろいろあっても長い時間を経てお互いに許し合うまでになる。願い文を縦糸にしながら、その微妙な関係を織り込んでまとめている。内容は悪くないが、文章としては無駄が多く技術も未熟である。整理してリライトすれば俄然良くなる。

使い古された言い回し、三点リーダーやダッシュ、感嘆符・疑問符の多用、そしてオーバーな感情表現。ここで解説した三つのマイナスポイントを知っているだけで、第三者の作品を読んだときに「うまくないエッセイ」に気づくことができる。そうすればおのずと自分の表現力にも磨きがかかるというものだ。上達のためには、うまいエッセイだけを読んでいてもだめだと思う。傑作、駄作、いろいろな作品をたくさん読んで欲しいと思う。

いちばん大事なことは、他のものをたくさん吸収して養った自分だけの感覚を信じ、それを大切にしながら自分の言葉で表現していくこと。それを心がけて書いていくうちに、自分流、自分のスタイルが出来上がってくる。

エッセイにおけるフィクション

ときとして、日常生活には思いもよらないことが現実に起こることもある。天災や事件・事故が身近で起こったり、隣国のミサイルが頭上を飛んでいったり、その昔には竹やぶで大金を拾ったなどということもあった。前にも言った通り、エッセイは実際に体験した出来事を題材にして書くのが基本だから、そうした大事件にまつわる作品ならインパクトは相当なものになる。しかし、驚き、感動するような事件が私たちの身の回りにそうそう起こるわけがない。日常は平凡であり、それはそれでありがたいことなのだ。

そこでフィクションというテクニックを使う。体験したありのままを書くのではなく、創作を交えることで、読者の涙腺を緩ませたり、気持ちを高揚させたりすることができる。

次に紹介する杉山さんの作品で、エッセイにおけるフィクションについて考えていきたい。

重い記憶

杉山　理恵

ちょっと動けば汗がふき出すような八月の朝、母と私はナップザックと手提げに「あるもの」を詰めて家を出た。目指すは東京。叔父の新居である。

母がナップザックを背負い、手提げは二人で持った。他に一泊するための荷物もあるので、疎開するような出で立ちとなった。思春期の娘にとっては抵抗ある格好である。しかし、「あるもの」を叔父に届けたいという、一途な母の気持ちに、私なりに賛同し、「母一人では大変だから私が手伝わなくちゃ」というまっすぐな気持ちで付いて行った。

「あるもの」とは、新じゃが十五キロだ。近所の農家から手に入れた。バスに乗り甲府駅へ。電車に乗りN駅で降り、いよいよ環七近くの叔父の家を目指して歩き出した。

夏の午後である。ただでさえだるい時間帯。二人で持っているとはいえ、じゃがいも十五キロは、ずしっときた。暑いし重いし頭がぼうっとしたが一歩一歩進んだ。商店街の八百屋の前を通るとじゃがいもが箱で売られていた。ここで買って届けてもらうと楽だなと、ふとどきなことも考えた。いよいよ指がちぎれそうになってきたので、「もうだめ」と思い、ちらっと母の横顔を見ると、額から汗が吹き出ていた。ナップザックのひもが肩に食い込み、息も少し荒かった。母は頑張っていた。ここまで運んできて、どこかへ置いて行くわけにはいかないと思い直した。親子とはいえ、このじゃがいもを運ぶことについては同志である。「もうちょっと、もうちょっと」と声を掛け合いながら歩き続けた。

「ついた」

高層マンションはすっとそびえていた。九階まで行き、呼び鈴を押すと「はい」と声がして涼しげなワンピースを着た叔母が出てきた。

「お姉さん、理恵ちゃん、いらしゃい。まあ……」

ドアを開けたら、汗だくで茹だった顔の、しかも大荷物の客人が立っていたのだから随分驚いたことだろう。とにかく中へと居間へ通された。

「みんなに、じゃがいもを食べてもらおうと思ってね。十五キロ持って来たから、三人じゃあ、せえせえ食べられるよ。新じゃがでおいしいいらしいよ」
※
「十五キロも持って来たの」

叔父の驚いた、少しだけ戸惑うような声。母は一瞬、口を噤んだ。

「お姉さん、ごちそう様。ゆっくりしていって下さいね。あっこ、おいもを理恵姉ちゃんといっしょに台所に運んでちょうだい」

叔母に指示されて台所に置くと、じゃがいも達はこぢんまりと片隅に収まってしまった。

昨年、叔母が山梨に遊びに来た時、あのじゃがいもの行方を聞いてみた。

「最後までちゃんと頂いたわよ。少しでも家計の足しにといって、重い思いをして山梨からお姉さんと理恵ちゃんが、運んできてくれたんだもの」

叔母のことばは嬉しかったし、なんだか有り難かった。早速、母にこのことを伝えた。

※「せえせえ」＝ここでは「たくさん」の意の甲州方言

作者は五十代の女性。エッセイ初心者である。思春期の頃の作者が、田舎から東京の叔父の住む新居に十五キロのじゃがいもを母親と一緒に苦労して運んだ。その記憶が濃く残っていたので、後年その叔母にあのときのじゃがいものことを尋ねると「最後まで頂いた」という返事。報われたと思い安心した、という内容である。

しかし、これでは事実をそのまま書いただけの、じゃがいもを運んだという作文で、エッセイと呼ぶには何か物足りない。そこで少しフィクションの力を借りたい。

台所にじゃがいもを運んだところで、じつはその新居にはすでにバケツいっぱいのじゃがいもがあったことにしてはどうだろう。それもごつごつした、器量の悪い田舎のイモと異なり、近代的な畑で収穫されたような、形も品もいいイモがいっぱいあるのである。それに気づいた叔母は、少女である作者に見えないように新聞紙で覆ってしまう。しかし、時遅く少女は見てしまうのである。彼女はもちろんそれを苦労して運んだ母親に言うことはできない。少女の胸は痛む。気のいい母親の満足げな笑顔はその対比となる。帰りの電車で車窓からじゃがいも畑が見えるとますます少女は悲しくなる。その秘密は少女の心に陰影を落とし、悲しみは読者の想像を広げることになる。

こういう場合、叔母さんを悪者にするのも方法である。後年、じゃがいものことを尋ねられたときすっかり忘れているとか、腐らせて捨てたとか、フィクションでエッセイは面白くなる。ただ、フィクションと読者にはっきりわかるようではやめたほうがいい。

ホットミルク

杉山　理恵

小学四年生の冬のことだ。ランドセルから鍵を出して家を開けようとすると、「理恵さん」と声をかけられた。担任のK先生だった。「先生の家に遊びにおいで」

その日は家庭訪問の日ではなかった。何故先生がいるのか不思議に思ったけれど、お父さんのように慕っていた先生だったので、嬉しくて車に乗り込んだ。今思えば一人遠くからバスで通う、鍵っ子の私を心配して、様子を見に来てくれたのだと思う。

玄関には、よく磨かれた表札が掛かっていた。奥様が応接室に案内してくれて、小学生が座るには不釣り合いな大きいソファーに座った。額に入ったバラの絵、レースをあしらったテーブルセンター。教室で見る先生のイメージとは違う感じだ。あちらこちらを観察していると、奥様がホットミルクを持って来てくれた。

「遠慮せずに召し上がって。ゆっくりどうぞ」

大好きなホットミルク。おなかがぐるっと鳴った。ミルクはとても熱かった。息を掛け冷ましていると、先生が入って来た。そして先生の腕を抱き抱えるようにして中学生くらいの女の子も入って来た。先生のお嬢さんだ。

「私はパパに聴いて欲しかったのに。なんでこの子を連れて来たの」

先生はお嬢さんの頭を優しく撫でて、ピアノの近くのソファーに腰掛けた。お嬢さんは、私をじろっと見てから、ピアノにむかった。私は急に居心地が悪くなった。自分は、拾われてきてミルクをもらう不安そうな子犬のようだと思った。

滑らかにピアノの音が響く。先生は満足気に目を閉じる。ベートーベン作曲の「エリーゼのために」という曲であると教えてくれた。だが私は、曲を楽しむどころではなかった。

「随分上達したね」

お嬢さんが弾き終わると、先生は笑顔で声を掛けた。

「パパのばか」

彼女はふくれっ面で先生を睨んだ。そして私を横目で見て「私のパパだから」と言って部屋を出て行った。

不意を食らう一言だった。わくわくした気持ちも、そわそわした気持ちも、どこかへ吹っ飛んだ。「そんなことわかってる」と意地に近い怒りが心の奥底からじわっと湧いてきた。

「甘えっ子で困ったもんだ。同じ一人っ子でも理恵さんとは違うね」

先生は、そう言いながらもお嬢さんのことが気になるようだった。

「暗くなってきたので帰ります」

そう私が言うと、先生は安堵した顔になった。

「そうだね。でも、せっかくだからミルクを飲んでいきなさい」

とにかく早く帰りたいと思ったので、ぐっと飲んだ。ミルクはまだ熱く、火傷した。

「またおいで」

車で送ってくれて、先生はそう言って、帰って行った。

一人になると、涙があふれ出てきた。そして喉がひりひりと痛み出した。

その日から、母に「ホットミルク飲む」と聞かれても「いらない」と言うようになった。母は不思議に思ったに違いない。翌年三月、先生は転勤になった。淋しいがほっとした。

同じ作者のエッセイである。この作者は正直な人だから経験したありのままを書いている。やさしい担任の先生が、小学四年生で鍵っ子だった作者を自宅に招いて、ホットミルクをご馳走してくれ、自分の娘のピアノを聞かせてくれたが、その娘の言葉で却って傷ついてしまった話である。

このエッセイの核になる部分は、本来ならとても楽しかったで終わるはずの訪問が、先生の娘さんの言葉で傷ついてしまうところにある。では、もっと読み手に伝わる作者の悲しみの描き方はないだろうか。

お嬢さんが弾き終わると、先生は笑顔で声を掛けた。
「パパのばか」
彼女はふくれっ面で先生を睨んだ。そして私を横目で見て「私のパパだから」と言って部屋を出て行った。

おそらく本当にこういうことはあったのだろう。しかし、ここにフィクションを取り入れることが出来る。先生の娘はピアノを弾くときは笑顔で、時おり少女を振り返り微笑むのである。ところが、作者の少女がトイレにでも行き、戻るとたまたま応接室の扉が開いて、中にいた先生の娘が「パパのばか」と感情をむき出しにして、少女を連れてきた父親をなじるのである。それを陰から聞いてしまうという設定にしたらどうか。

ここでは先生の娘を悪者にして、表の顔と裏の顔を使い分ける。直接なじられるより作者の悲しみは濃くなり、傷ついた少女の気持ちがいっそう痛切に読み手に伝わると思うのだ。

「これは事実だから」と事実の重みを強調するエッセイにたびたび出会う。しかし事実だから重いということはない。フィクションが介在することで、内容がスケールアップし、よりドラマチックなエッセイに仕上げることができる。要は事実かフィクションかではなく、何をどう伝えるかが大事で、時にフィクションも必要だということだ。ただ前にも述べた通り、「これはフィクションだ」と読み手にわかってしまうような脚色はやめたほうが無難だ。この手法を用いるには多少の鍛錬が必要かもしれない。

エッセイ教室で、コーヒーをテーマにしたエッセイを書いた女性がいた。私はいたく感動したのだが、それが大部分フィクションであると聞いて舌をまいたことがある。

たとえ全編作りごとであっても、そう感じさせない必然性があればそれは立派なエッセイだ。エッセイは自由に書いていいのだから。

書き手のタイプ、世代別にみるエッセイの傾向

ここまではエッセイの書き方や書く際に注意することについて述べてきたが、少し視点を変えてみようと思う。

現在、エッセイを愛好する日本人は一体どのくらいいるのだろうか。エッセイコンクールの応募総数を見ると、多いものでは数千点。一攫千金を狙ってか、賞金の高いコンクールほど応募総数も増えてくる。単なる趣味として書いている人、自費出版等を目指して書くことをライフワークにしている人、仕事として書いている人を含めると、日夜、たくさんの人がパソコン、あるいは原稿用紙に向かって悶々としている姿が想像される。

老若男女のエッセイストたちが書く作品を分析すると、それぞれに特徴があるこ

とがわかる。すべての人にあてはまるわけではないが、もしかすると自分の長所、短所を客観的に考えるきっかけになるかもしれない。あくまでも私感だが、タイプ別、世代別の傾向を述べてみるので参考にしていただきたい。

情緒派と理詰め派

経験上、エッセイに見られるさまざまな傾向には、大別すると情緒派と理詰め派があるように思う。まず、それぞれが取り上げる題材の違いを考えてみよう。

どちらかと言えば、前者は平凡な日常生活の中にエッセイの題材を見つけることが上手だと思う。無数に転がっている石ころの中からダイヤモンドの原石だけをひょいと拾い上げるのである。物の見方が後者とは大きく違い、揺れ動く心情のフィルター越しにすべてを見ているような気がする。

さらに、いったん題材が決まるとそれに向き合う観察がとても細かい。そして特有の繊細な感性でエッセイを展開していく。

それに比べて後者は物事を理屈で考える傾向にある。時事や経済の動向、はたまた浪漫を追求した趣味などに敏感なのは、無意識のうちに折々の心情よりも理屈や大局を優先しているからかもしれない。したがって題材は、仕事の話、歴史、経済、趣味、社会批評などが多くなる。

根拠のある事柄で理論を構築し、誰も覆すことができない完璧な持論を展開するのが好きだ。読み手を説得したいのである。よって、選ぶ言葉も強く、固いものになる。

もちろん、最終的には個人差なので、どちらが良い、悪いと言っているわけではない。ときとして情緒も理詰めも立派なアピールポイントだ。だがしかし、どちらもやりすぎると良くない。感情過多の「激情型エッセイ」や、無味乾燥な「論文型エッセイ」にならないよう気をつけることだ。自分に酔いしれながら書くと、そのような作品になってしまうだろう。

エッセイと年齢

若い世代の書くエッセイの多くは、軽やかでみずみずしい。題材に選ぶのは友情、恋愛、家族、スポーツ。青春を感じさせるものが多いことも初々しさが強調される要因だろうと思う。活字離れが危惧されて久しいが、インターネット時代の申し子らしく言葉選びにもソツがない。

「エッセイ」を日本語に訳すと「随筆」になるが、それがピンとこない世代もいるのではないか。軽めで短い読み物をエッセイの本流だと思い込んでいるかもしれない。

それはそれで悪いことではない。若いときには若いときにしか書けないエッセイを書けばいい。やがて年齢を重ねれば、奥深く、味のある作品を書くようになるだろう。ならば、年齢を重ねて高齢者と呼ばれる世代になったときにこそ、心の琴線に触れる珠玉のエッセイを書きたいものだ。

『文芸思潮』のエッセイ賞にも高齢者の応募は多く、毎回増加の傾向にある。五十の手習いだろうか、認知症防止のトレーニング代わりだろうか、高齢になってからエッセイを始める人も増えていると感じる。人生百年時代、これは喜ばしいことである。

年齢を重ねれば人生経験は豊富になるわけだから、それだけ引き出しが多くなる。だから若い人より題材は多方面にあろう。近年、知名度の高いエッセイや詩のコンクールなどで、八十歳を越えた人が何人も最優秀賞を獲得している。それらの作品は高齢者であることを武器にし、豊かな経験があるからこそ語れる世界を見事に書き上げている。

高齢者の取り上げる題材には次のようなものが目立つ。

＊戦争が生んだあらゆる悲劇に関するもの
＊貧困に苦労した話
＊いろいろな動物や生き物との関わり
＊日常生活のなかで起こった不思議な出来事
＊病気に関するエピソード
＊花や植物に関する話

とりわけ、戦時中に幼少期や青春時代を過ごした世代には戦争の悲惨な体験を綴ったエッセイが多い。貴重な戦争体験を語れる経験者は年々少なくなる。そこに危機感を覚え、死ぬまでに書いておきたい、次代に伝えておかねばならない、という使命感が生まれてくるのかもしれない。

甲府市には「山梨平和ミュージアム」という戦争に関する資料を保存・展示し、常時戦争にまつわる講演会や、平和への運動を継続している団体がある。私はどちらかと言えば経済優先の山梨で、このような文化団体があることはとても貴重であると考えている。

その山梨平和ミュージアムが、『知っておきたいあの戦争』（一九九五年）『伝えたいあの戦争―戦後六〇年にあたって―』（二〇〇五年）『伝えたいあの戦争Ⅱ―戦後六五年にあたって―』（二〇一〇年）、『戦時下・戦後を生きて―戦後七〇年にあたって―』（二〇一五年）『戦時下・戦後を生きてⅡ―戦後七五年にあたって―』（二〇二〇年）を編集している。ここには山梨に生きた人々の戦争体験が、山梨の高齢者により鮮明に記録されていて貴重である。

『知っておきたいあの戦争』では、内地の体験として甲府空襲の詳細、学童疎開の記録が庶民の立場から報告され、外地の体験では、満州からの引き揚げ体験が語られている。

どの体験も生々しく貴重で、涙なくして読めないような報告ばかりである。これらの執筆者はすでに鬼籍に入った人も多い。ゆえにこの記録は後世に残すためにも大変貴重である。

私は甲府の湯村山の近くに住んでいるが、戦時中のあるとき、その辺りでアメリカ軍の機銃掃射があり、子供らが逃げるときに銃撃を受けた。子供らは助かったが、その前を逃げていた親子の山羊が、掃射を受けて死んだという記録を読んだことがある。それも現場にいた子供が、忘れることができず、大人になり記録したことで、読みつがれることになった。記録することは大事である。

戦争を体験した者のみが知るその悲惨さと残酷さ、それを後世に伝えるのは体験した高齢者の義務ではないだろうか。

人間はその時が来ればみな死ぬ。死なない人はいない。世の中に戦争ほどあってはならないものはない。少しでもそれを経験した者が、その記録を残すことは、大切な行為である。

後の人々の参考になる一言が、その人の生きた証にもなるのだ。

戦争を繰り返さないためにも、次世代に向け、何度でも問いかけていかなければならない問題である。特に高齢者はこれからも貴重な体験をどんどん書いてほしいと思う。

人生のテーマを書く

私が主宰するエッセイ教室「エッセイ花みずきの会」には初心者からベテランまで四つのクラスがあり、月に一度、合評形式の勉強会でレベルアップを目指している。コンクールの審査とは違い、同じ作者のエッセイを継続していくつも読ませていただくことになる。すると見えてくるのが、こだわりのテーマだ。人それぞれにどうしても書きたい人生のテーマがあるように思う。

○○さんは亡き母のことばかり、△△さんは飼い猫のことばかり。じつは、これは良いことなのだ。また同じような話、と躊躇する必要はない。書きたいと思うテーマはとことん突き詰め、それによって自分のエッセイの形を完成させたいものだ。

次に紹介する二作品は、同じ作者のものである。読んでもらえば、作者の人生のテーマがわかっていただけると思う。

懐かしき麻雀パイ

保坂千鶴子

久し振りに自分が育てられた田舎の家を訪ねた。誰も住まなくなった実家の居間の茶簞笥の上に、埃をかぶった古い麻雀ケースが置かれている。父が古道具屋か何処かで手に入れてきた物らしい。

私が小学校低学年のころ父は自分の夢に向かって家を出ていき、母親は私が一歳半の時に亡くなっていた。父には二人の弟がいて戦後、戦地から帰ってきた。小柄で笑顔のいいヒロ叔父と、長身で丸顔のシン叔父である。シン叔父は私が腕を骨折した時、私を背負って自転車で毎日接骨院へ通ってくれた。その叔父たちも独立していなくなり、祖母と二人暮らしになった。思春期に入った私は祖母の盲目的な愛が鬱陶しくて堪らなかった。

その祖母の最期を看取り、一人暮らしになった私は二十歳をとうに越していた。

祖母の葬儀の日は寒の入りで凍て付くような強風が吹き、野辺送りの会葬者を震えあがらせた。四十九日の法要も、又ご先祖さまと母の供養の日も二日も前から吹き荒れた。我家で仏事があると何故か必ず天候が荒れた。

東京や横浜からきた二人の叔父は八ヶ岳颪で育ったせいか風など気にもしていなかった。

父も叔父たちも法事が終わってもすぐには帰ろうとしない。その夜から近くに住む私の従弟のフミさんを呼んで決まって麻雀をする。フミさんはパイを握っただけで何パイか解るという。私は父の傍らで何時も見ていて、麻雀の面白さが分かってきた。見ているだけでは面白くない。やってみたくてたまらなかった。その夜もフミさんを呼びに行かされるのだろうと、祖母が縫ってくれた椿の花の半天を着て、声の掛かるのを待っていた。すると横浜のヒロ叔父が私を誘ってくれた。

「さぁチコちゃん始めるよ」

「私でいいの？」

「今夜はチコちゃんだよ」

チコちゃんと呼ばれるのも嬉しくて、仔犬がじゃれつくように炬燵に入りこんだ。炬燵の上の雀卓にパイがコロコロと転がりでた。象牙の淡い色合いと、くぐもった音の響きがいい。麻雀パイはかなり古い物で、角が滑らかに丸みをおび、使いこなされた渋さと、時の流れの長さが滲み出ていて何処となく風格を感じた。

「これは古物でかなりの時代物だなぁ」

酒好きの東京のシン叔父は、ほろ酔い気分でパイの感触を確かめている。横浜のヒロ叔父はマドロスパイプを銜えながら、

「私はこれが楽しみで来るんだよ」

外は木枯らしが枯葉をカサカサと鳴らしながら、ガラス戸を叩いて通りすぎていく。

「よく吹くねぇ」

「あの方が気性の荒い人だったから、今晩もこうして吹かせるんだよ」

叔父たちは風にさえも祖母を懐かしく偲んでいる様であった。

雀卓の上にはパイが整頓されて積み重ねられている。仲間に入れてもらえた嬉し

さでパイを握っただけで気持ちが弾んできている。誰が何を捨てても相手の手の内など読めない。欲しいものだけポンして、いらないパイは捨てている。いく回りか回わるとかなり整ってきている。あと一歩のところ。私の欲しいパイはピンズである。誰が何を捨てるのか、叔父たちが軽く流して捨てるパイを緊張と期待で集中してみていた。呑兵衛のシン叔父がポンと捨てたパイはピンズだった。

「私、上がっちゃったみたい」

「どれ、どれ」銜えタバコのヒロ叔父は私の手を覗き込んだ。

「チコちゃんなかなかやるじゃん」

褒められたのか、おだてられたのか、子供みたいにはしゃいでしまった。ひょうきん者でとんちがきくパイプの叔父は、甲州弁を交え、話を面白可笑しく回転させて笑わせる。父は綿入れの丹前の襟元を合わせながら大笑いし、三兄弟の息の合ったやり取りで盛り上がり、私は心地よい空気に包まれていた。豆炭の炬燵はほどよく温かく、部屋の隅では藍色の陶器の火鉢が、南部鉄瓶を鳴らしている。父にはリーチがかかっていたのに、私は気前よくパイを振った。

「それ捨てるのか、お父さん上がったよ」

「チコちゃんはまだまだ危ないね、下駄を履かせなきゃ駄目だ」

空のパイプを銜えながら点数棒を私の箱に多めに入れてくれた。

あの夜、叔父たちは一人暮らしの私を不憫に思い、遊んでくれていたのだ。

歳月は流れ、実家の居間には、静寂な空気が私を包んでいる。茶簞笥の上に麻雀ケースを戻した。すると、父や叔父たちのパイをかき回す音や、賑やかな笑い声が聞こえてきそうで、私は目頭が熱くなった。


保坂さんは六十代女性。毎回のように家族のことを書いてくる。物心つく前に母親を亡くし、父親は再婚して家を出たので、自分は祖母に預けられて育った。思春期を迎えた頃の祖母との確執、祖母が亡くなると一人きりになった自分に叔父たちがやさしくしてくれたこと、そして、家を出た父親への複雑な思いなどが綴られる。

自分を育ててくれた祖母、自分を置いて家を出て行った父親には格別な思いがあるのだろう。だから次のようなエッセイもある。

父の高熱

保坂千鶴子

バスから降りると、父もバスから降りてきた。

「なんだ、お前も乗っていたのか」

「今、会社からの帰りで、明日のお茶菓子をちょっと買ったの」

明日は、母の二十三回忌の法事である。野心家の父は母が亡くなると、自分の夢に向かって東京へ出ていった。戦後十年も経ったころで、双眼鏡やカメラの塗装の小さな工場を持つことができた。仕事は順調に軌道に乗り、父は息を吹き返したように働いた。父には故郷を捨てたという思いがいつもあった。まず、先祖の墓地の墓直しをし、長年の念願であった母の墓石を建てた。それは若くして逝った妻への想いであり、東京に出て再婚した、父のけじめであったかもしれない。

夕暮れ時、あたりに少し靄がかかり肌寒かった。バス停から家までの誰も通らない村道を、二人で並んで歩いた。私は「寒い」といって父の腕にしがみついた。父は驚いた様子も見せず黙って私に腕を任せていた。一緒に暮らしていた祖母が亡くなり、一人で暮らしている私に、父は今どんな思いで腕を委ねているのだろうか。ふとそんなことを思い、父の春先のコートの生地の感触を手のひらで摩りながら、灯りの点いていない家まで黙って歩いていた。

翌日の法事は無事に済み親戚の人も引いて、法事でやってきた二人の叔父たちは泊まった。その夜は兄弟の久し振りの再会で、積もる話は尽きなかった。

翌朝、叔父たちと三人で一緒に帰るはずの父が、突然高熱をだし寝込んでしまった。何時もなら、汗をたっぷりかいて一晩寝れば治るという父の熱は下がらなかった。

富山の置き薬の頓服は効かず、近くに住む叔母が葛根湯を届けてくれたがそれも全く効かなかった。三日目に医師の往診を受けて抗生物質を処方されたが、それもすぐには効かず、父は何回も寝巻きを取り替えて熱と戦っていた。

「これは普通ではないよ、お除けをしてもらいなさい」

信仰心の篤い叔母が言った。

村なかに力のある霊媒者がいて、叔母は悩みごとが起きると必ずいってお祓いをしてもらっていた。その霊媒者はかなりの修行を積んでいて、この近辺では名が知られていて、良く当たるという評判だった。易や占などに興味がある私だが、ためらいながらも、恐々と行ってみることにした。

霊媒者は七十代で九州出身の温厚な面差しの女性であった。父の容態を話すと、白装束に着替えて白髪に朱印のある白い鉢巻をしめて神殿に向かった。長い祈りの後、「えい!」といって母の霊を引き出し、暫く話をしていた。そして「はい、分かりました」と言って母の霊をかえし、九州訛で私に話してくれた。

「お母さんは、お父さんには憑かんけど、あんたに憑いて守るといっちょるよ。それからな、お母さんは墓石を建ててもらったことがとても嬉しくて喜んでおるんよ。それを知らせていなさるんだよ」

その話を父に報告すると「ツキちゃんの仕業かね」と力なく笑った。

お祓いが効いたのか医者の薬が効いたのか、父は五日目にやっと起き上がれた。

熱が引いた父の顔はげっそりこけていた。水枕を取り替え、お粥や消化の良い食事を私なりに考えたのだが、父の食事がすすまなかったことは、私の看病が足りなかったのだろうと思い、床離れした父を見ても何故か気持ちが晴れなかった。

「お父さん、行き届かない看病で、不作な娘でご免なさい」

父は顔を横に振って、

「そんなことないよ、お父さんは豊年だと思っているよ」

いつも通りのユニークな父の言葉は私を和ませてくれた。体力もやっと回復にむかってきているのが見えた。一緒にいたからといって特別何を話すわけでもなく、食事をして、テレビを観て、父は体を休めていた。私は何の気遣いもせず、飾ることも遠慮もなく在るがままの私でいた。一人で生きていると力んでいた私は、父と一緒にいることがこんなにも安らげることを知り、「親子ってこうなんだ」としみじみと思った。

私が小学校低学年のころ父は出て行き、大人になってから今日まで、父と一週間も一緒に暮らしたことは一度もなかった。父と同じ空気の中にいるだけで、言葉などなくても、父の私への思いが伝わってくる。私の気持ちの奥の方に、まだ幼子のように甘えたい思いが膨らんできている。こんなにも柔らかで、優しくなれた私の気持ちを、心の奥にずっとしまっておきたい。

この一週間は亡母が私にくれた一週間である。そう思った。病み上がりの父は七日目の朝、不精髭のまま東京へ帰っていった。

このエッセイは、父親を看病した日々こそが亡き母親が自分に与えてくれた贈り物であると締めくくっている。自分を置いたまま、他の女性と再婚した父親に対する恩讐を超えた保坂さんの思いがある。

人生には、ときおり理不尽と思われることが降りかかってくる。病気、親の離婚、家族離散、交通事故や震災もまた然りである。それを自分の運命と受け入れて、辛抱強く生きていくのも人生のありようであろう。

保坂さんは看病を通して親子の絆を感じた若い日を思い返し、年齢を重ねて寛容な心を持てるようになった今ならば、父親の人生を許せると感じたのかもしれない。それを文章にすることで長い間彼女の心にわだかまっていた確執から解放されたのである。いや、解放されたいからこそこのテーマを描き続けているのかもしれない。日頃嫁と姑の確執について悩む坂本さんの場合はどうだろう。当初坂本さんは、二人の確執をテーマにエッセイを書いていた。頑固な姑によって嫁がいかに苦労するかが展開された。世の中にいくらでもありそうな嫁姑問題が、いかに奥の深いものであるか考えさせられることもしばしばであった。そのときのエッセイの一部を紹介する。

願い文　　　　坂本かつえ

九五歳の姑。この人と同居暮らしもすでに四〇年を越えた。三度の食事はもちろんのこと、お茶さえも共にした毎日の中で、喧嘩はもとより口論すらせずに今日までできた。だが、嫁姑の関係など、どう頑張ってみても、決して交わることの出来ない平行線上のものであったことは、この身をもって嫌と言うほど経験してきた。

「はいっ、おごっさん！」

湯飲み茶碗が食卓の上にドンと音を立てる。これは少し乱暴な口調だが、食事が終わったときの、「はい、ごちそうさま！」という挨拶と、ドンとテーブルを打つのは、「早く立ちなさい！」と私を追い立てる暗黙の合図なのだ。

私が嫁いで一〇年目に、舅が癌で急逝した。その後姑がすまし顔で私に言ったのである。

「あたしの父親は大工の親方だった。住み込みの弟子達がいて、親方の湯飲み茶碗の置き具合で、はじきとばされるように仕事場に戻ったもんだ」

その話を聞かされてから、私はその音に反射的に席を立つようになった。その度に心臓はビクつき、不整脈をおこしたりもした。姑の細い目に四六時中急き立てられ、私は仕事場に追いやられた。

だが姑は私に向ける姿を、自分の子供や孫達には決して見せなかった。私もまた、追い詰められ卑屈に落ちいった自分の姿など、家族には見せたくもなかった。だから子供らにはいつも元気な母親を見せ、夫には安心して家の中をまかせておける妻を通していたから、巷に聞かれる嫁姑の諍い話など、家族にとっては縁のない他人事なのであった。

　このように取り繕った日常の下で、泣いたら自分に負ける。愚痴をこぼしたら心にほころびが生じる。その一念でひたすら笑いながら押し通してはきたけれど、やはり切なかった思いというものは、心に根深く残って消えないでいる。

　そうした間柄の姑が、今人生の最終を迎えようとしているのだ。それに私は向き合ってゆかねばならない。


　何度か姑との問題を書いた坂本さんだったが、あるときこの姑が不慮の事故で亡くなった。すると姑の死から彼女のエッセイの内容が変わった。姑に対する見方が変わり、とてもおだやかな視線で見つめるエッセイに変化した。そればかりでなく、題材が変わり、死んだ父親の生き方を中心に、自分と父親のありようを七十枚に書いた。

　そこには結核で療養した父親に対する、当時の社会の偏見を自分がどう感じていたか、結核が田舎ではどのように考えられていたか、療養所の患者の暮らしがどんなに息苦しいものであったか、など素直に詳細に書かれるようになった。そのひとつを紹介したい。

一匙のバター

坂本かつえ

それは戦後間もない頃で、当時就学前の六歳くらいだった私は、その頃病院に入院していた父の所へ、妹を連れて時々見舞いに行かされていた。まだバスの運行もなかったその頃、大人の足でも、ゆうに一時間半はかかる道のりを、幼い妹の手をひいて、八ヶ岳に向かってだらだらと続く長い坂道を上って行くのは、たいへんなことだった。

父は小さな田舎町のK病院に結核で入院し、いちばん南端に隔離された病棟に居た。そこは平屋の木造の建物で、うす暗い廊下は歩くとぎしぎしときしむ音がした。

父のいた西の角部屋は男部屋で、六、七人の患者さんがいたが、私は中へは一度も入ったことが無かった。私が窓越しに中をのぞくと父はすぐに出て来たのだ。そして飛びつく妹をうれしそうに抱き上げると、そのまま決まって東の角部屋に連れて行った。そこは女部屋で父の部屋よりもなぜか明るかったように思う。その部屋には愛子さんという綺麗なお姉さんが居て妹を可愛がってくれた。妹が行くと部屋は一気に賑わい、ベッドの上から皆の手が伸びて、妹は蝶のようにひらひらと赤毛をなびかせ、白いパンツをのぞかせながら患者さん達の膝を渡り歩いた。けれどそこでも私は部屋に入らず廊下から中の様子を見ていただけだった。

そんな私に、父は部屋から持ってきた太い茶筒のような容器から、ねっとりしたバターをすくい出し、サジごと持たせてくれた。それはたぶん栄養補給として支給されていたアメリカ産のバターだったと思うが、てこずる妹を連れて行き、まだ真っ赤な顔をしている私に、菓子など持っていなかった父が、せめてもと口に運んでくれた一匙だったと思う。私はそれを妹が戻ってくるまでの間、出来るだけ時間をかけてサジを回しながらなめた。そのあいだ父はずっとそばにいたが、私は父の顔を見ないようにしていつも下を向いていた。なぜか恥かしくて見られなかったのだ。私が父の目をまともに見て話が出来るようになったのは、高校を卒業して家の農業を手伝うようになってからだった。

妹が菓子などをポケットに、愛子さんに連れられて戻ると、父はすぐに私達を廊下の先まで送ってくれて、あまり院内に長居はさせなかった。私はまた妹の手をひいて来た道を帰るのだが、振り返るといつまでも病棟の玄関先に父は立っていた。

当時はまだ不治の病と言われた結核患者であった父が、どんな思いで我が子等の帰ってゆく姿を見送っていたのか、その頃の私は知る由も無かった。ただ私は、舌の上で甘くとろけたバターの味と、すこし錆びたようなジュラルミンの容器を、なぜか今も忘れられないでいる。

ここには姑との激しい確執は姿を消している。長い間の姑との葛藤を経験した嫁である坂本さんが、今度は新しい題材に取り組んだ。偏見のある時代に結核に感染した父親を妹と訪ねるエピソードである。父親が幼い子供への感染を恐れ、気遣う気持ちが書かれている。そこにはおだやかな本来の彼女の姿を感じることができる。姑の死から新しい題材で目が開かれていく精神的な成長を感じる。もともと彼女が書きたかったのはこういうことだったのだ。

人生のテーマは変遷する。初めから「これが自分のテーマ」だと決める必要もないし、決められる人は少ないだろう。書きたいことを書いていけば、それが自然と自分の人生のテーマを形作っていく。

そして、エッセイ教室の他のメンバーにもさまざまなテーマが見受けられる。

教師だったAさんはいつも教え子のことを書いてくる。長い教師生活の中で出会ったたくさんの子供たち。その一人一人にスポットライトを当て、愛情を込めてエッセイを書く。教師として最善を尽くせたのかという自問自答の作品は、読む人の心に切なく響く。

Bさんは夫のことを書く。その奇想天外な夫婦関係がたびたび読者を驚かせる。

Cさんの母親は、貧困と闘いながら苦労して子供を育て四十二歳で亡くなった。大人になり、水商売で生計を立てていた妹が四十代で病死した。若くしてこの世を去った肉親の無念を書く。働く母親を助ける小学生のCさんの姿は胸を打つのである。

動物のことを書くのが好きなDさんもいる。Dさんは他のことも書くが、やはり動物に関することを書いてくると、エッセイ教室でも評判がいい。

では自分はどうかといえば、圧倒的に家族を題材にした作品が多い。改めて思い起こせば、私が過去に入賞にした作品は、みな祖父母や両親に関するものだったように思う。

それぞれ人にはテーマがあり、それを書くことによって自分の人生を振り返り、時にそのことにより癒され、さらに生きていくためのエネルギーにしているのではないかと思うのである。だから、自分が書きたいテーマについて、こつこつ積み上げていくことは、その人の人生を極めることにも繋がると思う。自分の人生はこういうものだったのかとわかるのである。そのためにもエッセイは存在する。

さらにもう一歩踏み込んで、自分史を書いてみるのもいいと思う。これは本書の最後で触れたい。

公募のコンクールにいかに入賞するか

ある程度、自分の思い通りにエッセイが書けるようになったら、全国の企業や自治体が一般公募するコンクールに応募してみるのもいいと思う。腕試しになる。ただし、入賞するには少しばかりコツがあるので、それをお話しようと思う。

全国のさまざまな公募情報を掲載する『公募ガイド』という雑誌がある。文芸をはじめ、アート、写真、音楽などあらゆるジャンルの公募情報が載っている。また、インターネットでも「エッセイ　公募」などのワードで検索すると情報が得られる。ひとくちにエッセイの公募と言ってもテーマが決められていたり、文字数の制限があったり、いろいろな応募条件があるので、自分に合ったものを探して応募するのが望ましい。

公募のエッセイコンクールは、入賞者に賞金や賞品を授与することが多いのだが、中には表彰状一枚というものもある。

賞金の高い公募は当然応募数も多いから、入選も狭き門になる。高額賞金の公募ですぐに思いつくのは、プロミスの「約束（プロミス）エッセー大賞」。原稿用紙四枚で百万円相当の商品券である。UCC上島珈琲の「コーヒーストーリー大賞」は五枚で二百万と破格であったが、不況のご時世、平成二十二年の募集をもって終了した。京都の松栄堂の「香・大賞」は二枚で金賞三十万円、銀賞二十万円、銅賞十万円と続く。普通公募エッセイの賞金の相場は、『文芸思潮』がそうであるように最優秀賞が十万円である。

小説ではどうか。これも限りなくいろいろある。現在初心者が手軽に応募出来る、三十枚の規定の「北日本文学賞」は、入賞（一編）で百万円だ。これには毎年千点を超える応募がある（二〇一一年六月現在）。

書く以上、また応募するからには入選したいのは当然である。ところが多くの作品の中から選ばれるためには、自分の好き放題に書いていてはだめだ。いくら技術的に優れていても、それだけでは通用しない。応募するコンクールの傾向と対策をとらえ、ひと工夫することも大切だ。

公募の審査は、名のある選考委員がすべての作品を読むわけではない。それは物理的に不可能である。『文芸思潮』エッセイ賞の場合、まずは一次、二次と予選があり、スタッフによる下読みでその大部分がふるい落とされていく。選考委員に回ってくるのは二次を通過した作品のみである。では、一次、二次でふるい落とされるエッセイはどういうエッセイだろう。具体的にどんなエッセイが落とされ、どんなエッセイが残っていくかを考えたい。

入選にほど遠いエッセイ

(一) 文字が読みにくい

パソコンの原稿が多くなったが、手書きでも受け付ける公募がある。悪筆というか自分流で、ごてごてと書いてある原稿は不利である。Hなどの硬い鉛筆書きは薄くて読めない。手書きの場合、私は2B以上を薦めたい。ボールペンや万年筆など文字が消えたりしないものも良いだろう。また段落がなく、改行もなく延々と続く文章も、読み手が疲れてしまう。

反対に文字で読ませる原稿もある。文字は人柄を表している。手書きの場合、その人の熱意が文字に表れていることがある。それは間違いなく選考委員に好印象を与える。パソコンの原稿でも文字が大きく読みやすいものは有利で、小さい文字でぎっしり詰まっている読みにくいものは不利である。

㈡　自分の世界に酔っているエッセイ

枕草子のまねをして、自分の周りの景色にうっとりした、ひとりよがりのエッセイがある。自分だけが酔ってしまい、その描写が読み手に伝わらない。孫の話なども同じだ。自分の孫は可愛いものだが、他人にはどうか。

㈢　自慢話はタブー

他人の自慢話くらい不愉快なものはない。極論すれば「他人の不幸は蜜の味」の言葉のごとく、他人の不幸こそ誰もが興味を持ちやすいのである。それとなく自分の家系がセレブであることをほのめかしたり、息子や娘が有名大学を出ていることなどをちりばめたりする人がいるが、これは避けるべきだ。また、戦時中、大陸で現地の人にひどいことをした話などは、反省する内容ならともかく、自慢げに書くのは言うまでもなく最低である。

私は自慢話はコンプレックスの強い人、自分を認めてもらいたい人がすることだと思う。ぜひ、心しておいてほしい。

㈣　病気を強調する

自分の経験した病気に関するエッセイも多い。最近では心の病のことも書かれるようになった。それはよいことだと思う。ところが、その病状について力みすぎるエッセイも多く存在する。

自分や家族がどんなにその病気で苦しんだか強調するあまり、子細に病気に関して書き込むのである。そもそも病気そのものの話を楽しく読みたいと思う人は少ない。そこにきてこれでもか、これでもかとリアルに病気や手術の様子を書く。本人はいかに大変だったかを伝えたいのだが、読まされる方は堪らない（念のため付け加えておくが、これはあくまで入選しやすいエッセイについてのポイントであり、理解されづらい病気や現実が明らかにされていくのももちろんよいことである)。

㈤　使い古された言葉やオーバーな表現

前にも触れたが、エッセイはいかに自分の感性で言葉を発見していくかの作業でもある。だから、聞き慣れたよくある言い回しを使うのは、自分の力量のなさを露呈するようなものだ。さらに冷静さを欠き、感情過多になって暴走する表現にも気をつけたい。次のような表現が、その例だ。

＊ほとほとと煮詰まる梅ジャムのほのかな香り

＊背筋をゾゾっと悪寒が走る

＊反省と後悔と自負の崩壊で落ち込んだ

選考委員は平常心で読む。鮮度の高い言葉を使い、感情の押し売りをしないことである。

入選が狙えるエッセイ

㈠　読み手を考慮して書いている

これはエッセイを書くうえで、基本中の基本であると思う。自分だけがわかっていて読み手に伝わらない、説明不足のエッセイも多い。それを解消するには、まず読み手の立場をいつも意識しながら書くことである。早くいえば、初めて読んだ中学生にもわかるように書くことではないだろうか。

誰でも自分が知らないことに興味を覚える。人間それぞれ顔が異なるように、生き方や考え方、その人生も異なる。だから、どんなにささやかでも、その人だけが経験したことや知っていることには食指を動かされる。新しい知識を得たいと願うのは、人間の本能だからだ。その見本になる作品をここに紹介する。

宮古島

八木　春夫

前年の夏の頃、大分県佐伯市の造船所で、建造中のセメントタンカーの仕事で出張したことを想い出していた。客先の艤装課長のQさんに案内されて船腹のタラップを昇っていくと、長さ100m近い船体の甲板に出た。そこに見覚えのあるエアーコンプレッサーのユニットが据えられてあった。

艤装について少し調べた。船体が完成して進水した船に、就航に必要なあらゆる装備を施す事をいう。エンジンや発電機や操舵関連や居住室に至るまで艤装工事は広範囲にわたっている。Qさんの話では、まだ艤装は始まったばかりなのでコンプレッサーの試運転は陸上の電力で行う予定との事であった。この時は3日間で工事を終わらせて帰社した。

自分が手掛けた仕事を、誰かに代わってもらう特別な理由もないので次の出張を承諾した。そして寒冷地から温暖な南方への移動がなんとなく気を楽にさせていた。

那覇空港からタクシーで那覇港の琉球セメントの専用岸壁に着いた。そこで、新造船の船名が「琉仁丸」という事をはじめて知ったのである。セメント会社のK氏に会い、そして旧知のQさんに再会したのだった。本日は陸上の動力でタンカーにセメントを積み込む予定になっていた。これ以上の荷を積んだら危険という「満載喫水線」まで積み、宮古島まで処女航海の段取りであった。

船積みが終ると、船主のセメント会社が設けた接待会場に移動した。私はQさんの隣に座り、古酒泡盛でいい酔い心地に達した。Qさんが言う。今夜の処女航海に一緒に乗って行かないか。なかなか楽しいもんだぞという。何が楽しいのか聞き洩らした。そういうQさんに私は前年の初対面から親近感を抱いていた。大きな体軀で静かな存在感のある人だ。私の郷里の英傑、西郷隆盛の風貌はこんな人ではなかっただろうかと思ったりした。

翌日は飛行機での移動と決めていた。南西航空の30人乗りのプロペラ機だった。最後に機内に入ってきた人はエプロン姿のおばさんで、左手に買い物袋を下げ、右手には足をしばられたニワトリが、首をもたげてキョロキョロしていた。なんとも島の生活の閑雅な一面を見た思いだった。この日は、朝の目覚めから体の変調を感じていた。それは風邪を引いた時のような全体にだるい感覚に加えて、膝関節をはじめあらゆる関節がグニャグニャして力が入らないのだった。この症状は後で判ったことだが、旭川市との温度差20℃以上の環境に身体が急に解き放され、筋肉が弛んだということらしい。

「見えたぞう。入港して来るぞう……。」

双眼鏡の人が叫んだ。

宮古島の平良港に関係者が集結して、処女航海の荒波を乗り越えて立派に入港しようとしている琉仁丸に熱い視線が注がれていた。小さな船影からだんだんに大きな船体に見えてくるはずであった。

「船足が遅いな、何かあったのか……？」と、双眼鏡がまた叫んだ。

そんな時、セメント会社のK氏に船舶無線が入った。

「エンジン不調で、現在エンジンを停止して点検中です。」

エンジン停止後の惰力推進は徐々に弱くなって、ほとんど停止しているように見えた。その時、煙突からドドーッと黒煙が揚がったのである。エンジン復調の狼煙であった。それを見た関係者は、おおっ……と歓声を挙げたのだった。船は無事に岸壁に係留され、航海責任者のQさんがタラップを降りてきた。

これは船の技術屋さんが書いたエッセイだ。日常中心のエッセイが多い中で、これは屋外の広がりがある。一般人が知らないことが書かれており興味深い。「満載喫水線」という言葉や、足をしばられたニワトリをつかんだおばさんが機内に登場するくだり、港に初航海をする船が入ってくる様子などスケールが大きくて気持ちがいい。

㈡　冒頭から読ませるエッセイ

数百、数千という数のエッセイを下読みの担当者がふるいわけるとき、時間がないから一枚目を読み、真ん中を飛ばして終わりを読めば、だいたいどの程度のエッセイかがわかると言われる。これはまず正しいと思われる。それほどにエッセイの冒頭は大切である。初めの三行が退屈なエッセイは中身もたいしたことはない。演劇でも初めの十分は「つかみ」といわれる時間で、ここが退屈な演劇は最後までたいしたことはないと言われるが、エッセイも同じことである。

そこで読み手を引きつけるために、説明よりも情景を冒頭に書くという話は、「冒頭とタイトル」の章でも述べた。冒頭にはとくに工夫が必要である。

㈢　心に残るエッセイ

私にはエッセイに対する持論がある。本質的にエッセイは浪花節にも通じる世界だと言うことだ。ただ、お涙頂戴をあからさまに書いても、それは浪花節そのものになってしまってよくない。浪花節だとわからせないで、感動させるエッセイが書けたら成功である。

読後感がよく、いつまでも心に残るエッセイとはどんなものか。その例を二作品紹介したい。

前髪

藤本ひろみ

新任地のこの学校は、住み慣れた町から離れており、二十代の私は一番若い先生だった。

「出席をとります、○○さん」

「はい、元気です」

「はい、少し鼻が出ます」

大きな声で応える子どもたちを観察し、一日が始まる。その中で聞き取れないような小さな声で、しかも目を合わせようとせず、うつむいてしまう花子がいた。私は気になり、地元の先生に尋ねた。

「花子の父親は病気がちで、入退院を繰り返しているのよ、それに下にふたりいて、ひとりは未だおしめをつけている」

と、気の毒そうに話をしてくれた。二年ほど前の春に越してきた家族は、近所とのお付き合いも無くひっそりと暮らしているという。また家庭訪問をすると分かるけれど、びっくりするほどの環境だと、何か悪い噂話をするかのように声を潜めて付け加えた。

私は花子が何日も同じズボンと上着を着ており、髪の毛も伸ばすというより伸びている訳を知った。八歳の子が背負っている苦しみや不安はどんなものなのかと思い、ため息が出た。

元気な屈託ない子ども達の中で、おとなしく無表情で生活している花子に、折りに触れ話しかけた。ある日、目を隠すほど伸びた前髪を切ってあげようと提案した。

「前髪を切ると、かわいい目が良く分かっていいよ」

「うん」

花子はニコッとして頷いた。私は机の中から鋏を出し、新聞紙を持たせてから、少しずつ髪を切っていった。子ども達は興味深そうに周りを囲んだ。

「まあ、かわいくなった、後ろの毛は編んであげるね」

見ていた子ども達は口々に自分も切って欲しいと訴えた。私は切る真似事をしながら、ひとりひとりの頭を撫でてやった。

それから花子はゴムで伸びた髪を自分で結わえてくるようになった。

ある朝、花子の席が空いている。どうしたのかと職員室へ飛び込み、地元の先生に尋ねた。

「一晩母ちゃんが帰って来なかったので、弟たちの面倒を見ていて、学校に来られないらしい、夜の商売に行き始めたようだけど、今まで泊まることは無かったけれどなあ」

放課後を待ち、私は自転車に飛び乗り花子の家に向かった。夜幼い子ども達三人は、どのように過ごしたのだろう、朝になっても居ない母親を探しただろう、花子は弟たちを抱え泣いただろうかと不安がよぎり、早く花子に会わなければと思いペダルを強く回した。

裸電球が暗い土間と一間の部屋を照らしていた。母親は私を見ると驚いた様子であったが、すぐ目をそらし呟くように言った。

「すいません、休ませてしまって」

三十代の母親の顔色は疲労のためか、くすんで見え、私は何と言っていいのか言葉を探していた。

弟と遊んでいた花子は、はにかみながら駆け寄ってきた。私はカバンからキャラメルを取り出し、花子の手に渡した。

学校に戻る道、涙が止まらなかった。生きなければならないため、自分の身をお金に変えなければならない、そして家で待っている子どもの事を思いながら、朝を迎えなければならなかった母親の事を思うと。

またその気持ちに、追い打ちをかけられた。一呼吸してから職員室に入った私に、地元の先生がお茶を入れながら小声で言った。

「まあ、お母さんに会ってきたの、そっとしておいてあげればよかったのに」と。その年の暮れ、父親が働けるようになり、花子の家族は都会へ越してしまった。四十年も過ぎた今でも、前髪を切った時の花子の恥ずかしそうな笑顔を思い出し、また夢中で自転車をこぎ花子の家に行き、母親の切ない思いに触れたことは忘れられない。しかし「そっとしておいてあげればよかったのに」という言葉も、私の心に沈み込んでおり、その迷いは晴れていない。

新しく着任した新任の小学校教師の前に気になる少女が現れる。身なりも貧しい子供で、教師が前髪を切ってあげると少女は懐くようになった。しかし、母親が夜の仕事に就いて、少女は弟たちの世話をするために学校を休む。教師は家庭訪問をして、現実の厳しさを知る。地元の教員で少女の家庭のことをよく知る同僚が登場し、現場では見て見ぬ振りをしていることをそれとなく新任教師に教える。やがて少女は転校したが、新任教師は少女のこととともに「そっとしておいてあげればよかったのに」という同僚の言葉も心に残るのである。良かれと思ってした自分の行為が、かえって母親や少女の心を傷つけたのではないかという思いがある。反省と、少女への思いと、同僚の言葉がからみあい、新任教師を複雑な気持ちにさせる。

ずっと心に残っている同僚の言葉から発想したエッセイであろうか。楽しかった出来事よりも後悔を伴う思い出を題材にした方が、読み手の胸に響くことがわかる。それを改めてこうして文章にすることで、作者自身も胸に刺さったトゲが抜ける思いだろう。

いなりずし

日沼よしみ

久しぶりに会った弟が、酔いのまわった目を細めて言った。

「おかあちゃんのいなりずし、うまかったよなあ」

程よい甘さの酢の加減や、一晩寝かせて味をしみ込ませる甘辛いあぶらあげは、生前の母から聞いたコツを思い出して、何回挑戦してもいまだに再現できない味だ。

「うん、そうだよね、おかあちゃんのいなりずしって特別だったよね」

全校生徒の数が百五十人程の田舎の小学校から転校したのは、私が四年生になってすぐのころだった。小学校はどこの学校も一学年一クラスだと思い込んでいたので、街中のこの学校が、四年生だけで六クラスあると聞いてびっくり。

教壇のすぐ横に立った私の肩に手をかけながら、先生が私を紹介してくれた。

「みなさん、仲よくしてあげてください」

休み時間になると、すぐさま、入れ替わり立ち替わり友だちが寄って来た。

「前の学校は、何人だった？」

「家はどこ？」

「トイレの場所、教えてあげるよ」

みんな「先生の言いつけを守らなければ」と、使命感に燃えて、矢継ぎ早に話しかけて来ているみたいだった。

ふた月ほど過ぎたころだった。教室の掃除のとき一緒に机を動かしながら、ハルエちゃんが言った。

「今度の日曜日、私の誕生日会をするけど、家に来る？　みんな呼ぶんじゃないんだよ。仲よしだけ」

誕生日会なんて、今までいた学校では聞いたことがない。一体どんなことをするんだろう。楽しそうだな。やっぱり田舎の学校とはやることが違う。クラスのリーダー格のハルエちゃんに、「仲よし」の仲間に入れてもらえたこともうれしくて、ランドセルを躍らせながら家に帰って母親に報告した。母親は、すこしとまどったような顔をしながら「そりゃあよかったね」と言った。

さて、日曜日。招待された友だちは、手に手に、きれいな包装紙やリボンのついた包みを持って、ハルエちゃんの家に集まった。

私の手には何もない。

学校に来るときより、ちょっとだけおしゃれをしてきている友だちは、順番にプレゼントを手渡しながら「お誕生日おめでとう」と言って、テーブルに着く。ハルエちゃんがうれしそうに包みをあけると、ピンクの鉛筆や、レースのついたかわいいハンカチなどがつぎつぎにでてくる。私の手元に気が付いたハルエちゃんのおばさんが、すばやく機転を利かせて「さあさ、みんなで仲よく遊べればそれでいいんだよ」と言って、とりなしてくれた。ちょっとほっとして、でもすぐに悲しくなった。おかあちゃん、どうしてプレゼント持たせてくれなかったの。そう思う片方で、おかあちゃんも誕生日会ってプレゼントを持っていくってことを知らなかったんだと、自信を持って確信した。おかあちゃんは田舎の学校のことしか知らないんだから仕方がない。だけど。だけど、やっぱり恥ずかしかった。

居心地がよくない。私、ここにいていいのかな。チラリと思ったけれど、まもなく出てきたおやつを見て、そんな思いはふっとんだ。

いちごにたっぷりのミルクがかけられ、その上にこんもりと砂糖の山が盛られている。両脇の友だちの手つきを横目で盗み見ながら、ぶつぶつのついたいちご用スプーンですりつぶす。内心で、今度はちょっと元気よく「おかあちゃん」とつぶやいた。家じゃあ、こんな食べ方、教えてくれてないよね。きれいに洗ってどんぶりにドン。ヘタがとってあれば上出来だ。

取っ手の付いたお茶碗がお皿に乗っていて、なかには、うすーく透き通った茶色の甘い飲みものがはいっていた。紅茶って言うんだって。あのね、あのね。それからね。

初めてのおよばれの誕生日会がどんなにすてきだったか、家に帰った私は、おかあちゃんに身振り手振りで一生懸命話して聞かせた。そして最後に、忘れかけていたことを思い出したような口調で、精一杯明るく言った。

「友だちはみんな、ハルエちゃんにプレゼントを持っていったんだよ」

本当はそれを一番言いたかったんだけれど、そのことに気づかせては、おかあちゃんがかわいそうな気がした。おかあちゃんは、誕生日会に呼ばれたことを報告した日より、ずうっと困ったような顔をして私を見た。

そして翌朝、登校する私をいつものように玄関先で見送りながら言った。

「今日、帰ってきたら、一緒にハルエちゃんにプレゼントを届けに行こうね」

おかあちゃん、これ、ちがう。こんなんじゃあないの。お誕生日のプレゼントって、こういうんじゃあないんだよ。

学校から帰った私が持たされたものは、「お祝い」と書かれたのし紙のかかった、花王の化粧石鹼三個入りの箱と、到来物からていねいにはがしたデパートの包装紙に包まれた、おかあちゃん自慢のいなりずしだった。

石鹼の箱といなりずしを抱えて、私は、目をつむってうなだれた。何も持たないで行った誕生日会のときより、もっとかなしくなった。かなしくなったけれど、これは届けなければならないと思った。だって、これは、私が肩身の狭い思いをしないですむようにするために用意した、おかあちゃんが想像しうる精一杯の贈り物なんだから。これ以上のものは考えられないおかあちゃんなんだから。これが私のおかあちゃんなんだから。

「きのうはプレゼントを持たせなくてすみませんでした。遅くなったけれど、これはほんの気持ちです。これからもどうぞ仲よく一緒に遊んでやってください」

ハルエちゃんとハルエちゃんのおばさんに、おかあちゃんは石鹼といなりずしを差し出しながら頭を下げた。私はおかあちゃんの後ろから、すこし誇らしく、やっぱりすこしはずかしく、一緒にペコリとお辞儀をした。

久しぶりに会った弟と作者の間に、母親が作ってくれたいなりずしの話題が持ち上がった。すると、それに端を発して記憶の奥底に眠っていた、いなりずしにまつわるほろ苦い思い出が掘り起こされたのである。冒頭の導入部がとてもうまい。田舎から都会の学校に転入してハイカラな誕生日会に呼ばれる。自分だけプレゼントを持っていかなかったことで肩身の狭い思いをするが、「そのことに気づかせては、おかあちゃんがかわいそうな気がした」と心やさしい少女の揺れ動く気持ち。その豊かな表現力に読者は共感するのだ。

㈣　楽しく愉快なエッセイ

公募の中には、素直に笑えるほのぼのとした作品を募集しているものもある。応募要項をよく読み、その公募の趣旨を的確に捉えることが肝心だ。過去の受賞作を読むのも参考になるだろう。主催者がどんなエッセイを欲しがっているか、どんな感動を期待しているかを見極める。そうすれば自分の作風との相性がわかるはずだ。思わず笑いがこみあげるような愉快なエッセイを三作品紹介する。こうした作品にふさわしい公募が必ずある。

そこつの刺身

中田　澄江

下の息子が予定より早く、私が台所に立つと同時に帰宅した。幸いなことに刺身が二パック目に留まる。上の息子のために、赤身の方を半分残し早速解凍する。

「あれ？　これいつもより硬いね」

一口食べて息子が訊いた。

「そんなはずないよ。その方が高いのよ」

びんちょうマグロを頬張りながら私が答え、息子は黙って二切れ目を口に入れた。びんちょうばかり食べていた私たちも、美味しそうな赤身に手が出る。くせがなくて美味しい。

十時過ぎて上の息子が帰ってきた。残りの刺身を切り分けようとしてパックを見直し、脳天を殴られたような衝撃が貫いた。刺身と思ったのは豚のひれ肉だったのだ。

　びっくりして冷凍庫を探すと、あった！　冷凍したメバチマグロだ。色も形も似ていたので間違えてしまったのだ。

　豚肉こそ十分中まで火を通さねばならないことは誰でも承知している。どうしよう。

　生きた心地がしないまま、とりあえずクレオソートを呑み、お腹の殺菌を試みる。息子には理由は言えない。怪訝な顔で訳を訊く息子に「ちょっと呑んでおくと安心だから」とだけ伝えた。

　食中毒が起きはしないか、寄生虫がいたのではないかと考え始めると一晩中眠れない。

　豚特有の虫がいるのだろうか。サナダムシのように住み着いてしまったらどうしよう。

　薬屋を回ったが、蟯虫駆除の薬しかない。仕方なく行きつけの医院に駆けこんだ。

　出荷のときに細菌検査をするので殆ど中毒の心配はない。豚肉の虫もいるが、冷凍した肉はその時点で死滅する。卵は便と出てしまう。これを聞いてほっとした。

しかし何だか心配で、息子の様子をときどき窺ってみる。血色もよく、今夜も蕎麦を四人前、ぺろりと平らげた。

やさしい子守猫

桜井小百合

この夏旦那が近所を散歩していたとき、野良の子猫が足にしがみついて離れず、そのまま帰宅した。家には既に猫が四匹居るが、子猫を放り出すことも出来ず、五匹目の猫「ココア」として迎え入れる事になった。

子猫を飼うのは大変である。先住猫四匹のうち二匹は成猫になってから、二匹は子猫の時から飼い始めたのだが、成猫に比べて子猫はとにかく元気が有り余っているのだ。

家中を走り回り、カーテンによじ登り、ふすまや障子をバリバリ引っ掻く。棚の中に入り込んでいたずらする。もう家の中はめちゃくちゃになる。おまけに何にでもじゃれつき、興奮して人間の手足に噛みついたり、爪を立てて遊ぶものだから、こちらは傷だらけになってしまう。またあの賑やかな日々になるのかと思うと、少々うんざりしていた。

しかし、意外な協力者が現れたのである。

先住猫のトラ猫とらじろうとシャム猫チップ。この二匹のオス猫が実に良く子猫の面倒を見てくれるのだ。

二匹は常に子猫を見守り、汚れた体を舐めてあげ、トイレを教え、一緒に眠る。子猫にお気に入りのクッションを奪われても、馬乗りされて頭を齧られても、猫パンチされても、じっと我慢する。本当に感心してしまう。

この面倒見の良さはメス猫ならば納得できるのだが、二匹ともオス猫である。猫には母性本能ならぬ『父性本能』があるのだろうか。

人間の世界では児童虐待などの事件が絶えないが、この猫たちを見習って欲しいよ。

二匹のお兄ちゃん猫たちが子猫とよく遊んでくれるお蔭で、今のところ家の中はボロボロにならず私としては有難い。

とらじろうとチップは育児で疲れ気味である。「ココア」が大人しく寝ている間に、二匹とも爆睡しているのを見ると、「しばらく辛抱してね」と声をかけたくなる。

鼻から焼きそば

新藤　悦子

「ママは、ケンちゃんを連れて、病院に行ってくるから、ピンポンが鳴っても出ないでね。すぐ帰ってくるからお留守番していてね」

四歳の長男と二歳の長女を家に残して、具合の悪い生後六か月の次男を抱いてタクシーで病院に駆けつけた。診察を受け、長男がさぞ心細い思いをしているだろうと電話をかけてみる。

「ママーっ怖いよう」長男が泣き叫ぶ。

「どうしたの？」

「はぁちゃんが、鼻から焼きそばをたらして、追いかけてくる」

その長女も午前中受診している。嘔吐して鼻にヤキソバが詰まったのだ、どうしよう。

今朝の様子が目に浮かぶ。長男が熱を出して幼稚園に欠席の電話をし、小児科を予約した。長女にご飯を食べさせ、次男にミルクと離乳食をあげ、三人の子供を連れてタクシーで家を出た。小児科は、同じように赤い顔をしている子どもでいっぱいで、帰宅は午後一時を回っていた。

「はぁちゃん、お腹すいた。焼きそば」

病院で、二時間も待っていたのだから、長女もお腹が空いただろう。焼きそばを作った。その夕方次男が突然ピューーッとミルクを吐いた。インフルエンザに感染したのかも。そこでやむにやまれず、私は幼い二人に留守番をさせた。

気持ちははやるが、帰りのタクシーがない。

「良かったら、お送りします」

病院に女の子を連れたお母さんがいた。

ありがたい。必死の思いで帰宅すると、部屋中に酸っぱい臭いが充満していた。

長女の鼻から垂れた焼きそばを取り、背中をさすると泣きながら抱きついてきた。長男もほっとしたのか、抱きついて泣きじゃくっている。二人の泣き声に驚いて、背中で次男も泣きだした。私も自分にしっかりしなければと言い聞かせながら、泣けてしまった。四人でおいおい泣いた。

その長女がこの秋に結婚する。

誰かにエッセイを読んでもらおう

書きあげたエッセイは、なるべく多くの人に読んでもらうことをお勧めする。専門的な知識を持つ人でなくて構わない。家族や友人、職場の同僚などでもいいと思う。書き手は褒めてもらいたいという思いがあるが、できるだけ褒めてくれない人のほうがいい。褒めてくれなくても、あるいは酷評されたとしても、決して憤慨したり、意見してくれた人を恨みがましく思ったりしてはならない。読者の言葉に耳を貸さない人に上達はないのだ。

世の中にはいろいろな人がいる。読み手が必ずしも自分と同じ感覚の持ち主ではないということを覚えておくべきだろう。もしも公募の審査員が、酷評を寄せた友人と同じ感覚の持ち主なら、その作品は間違いなく落選である。

十人に読んでもらったら、十人すべての意見が等しく貴重だ。「そんな見方もあるのか」「どうも誤解を生じている。伝わっていないぞ」そう気づいたら、手直しを加えよう。そうやって作品は磨かれていく。

エッセイを書くことの効用

人は何のためにエッセイを書くのか。エッセイを書くと、どんな良いことがあるのか。ここでは、エッセイの効用について考えていきたい。

鍛錬を重ねれば、まず文章力は確実に向上するだろう。うまくなれば苦手意識のあった人もそれが消えてなくなり、書くことが楽しくなる。

たとえば礼状や手紙を書くのも苦で無くなるだろうし、自治会のイベントで回覧板用のチラシを作ることになっても、趣味の会の会報に載せる原稿を頼まれても、怯むことなく書けるようになる。もっと言えば、結婚式や法事などの挨拶もしっかり原稿を書けば胸を張ってできるようになる。そして、さらに上達すれば公募で一攫千金を狙うことだって夢ではないのだ。

しかし、本書の冒頭でも述べたように、エッセイを書くことの本当の効用は、そんなことではないと私は思う。文章がうまく書けるようになること以外に、さまざまな副産物がある。

ここでは、私が日頃感じているエッセイの真の効用を述べておきたいと思う。

過去の後悔や過ちが昇華される

読み手の心を打つエッセイは、過去の後悔やわだかまりに関わるものが多い。逆に言えば、その類のエピソードは秀作エッセイになりやすい。

書き手は、ずっと胸の奥にしまいこんでいたもやもやした気持ちを引っ張り出して文章にする。過去の自分と向き合う時間だ。「どうしてあのとき、あんなことを言ってしまったんだろう。今ならそんなことはしないのに」そんな思いをエッセイに仕立てることによって、心のしこりになっていた過去の出来事が、今の自分にたどりつくための糧だったと納得することができるのだ。決着をつける、あるいは清算する、一種のけじめとも言えるかもしれない。それによって次の一歩を踏み出せることもあるだろう。

これがエッセイのいちばんの効用ではないだろうか。エッセイを書くという行為は自分を見つめ直し、成長させる絶好の機会だと思う。

脳を活性化させる

仕事を定年退職したあと、子育てや親の介護が終わったあと、今の世の中そこからが長い。人生百年時代と言われる長寿国にもかかわらず年金はあてにならないし、子供をあてにするわけにはさらにいかない。自分の身は最後まで自分で面倒をみたいものだと誰もが思っている。

そうなれば心身ともに健康でいることが重要になってくる。再就職して仕事に生きがいを見つけるのも、ボランティアに精を出すのも、趣味に没頭するのも明晰な頭脳があってこそできることなのだ。

「考えながら文章を書く」という行為は、大脳を刺激し、血流を改善して認知症の予防に効果があるとも言われている。紙と鉛筆と時間さえあれば誰にでもできるエッセイ執筆は、格好の「脳のトレーニング」ではないだろうか。

ストレスが発散できる

エッセイ教室に通う高野さんは六十代の女性。早くに夫と離婚し、現在は独身の一人娘と暮らしている。高野さんのエッセイのおもな題材は貧しかった自分の生い立ちや、苦労して育ててくれた母親、そして妹のことだ。不運な人生を生きなければならなかった妹がガンで亡くなったことなど、自分の人生経験で辛かったことをたびたびエッセイに書いている。その一部を紹介する。

妹

高野　富子

妹は年中、入退院の繰り返しである。酒を飲むなと言っても、精神的に追い込まれると飲んでしまう。

今度も連絡を受けて病院に着くと、

「お姉ちゃんごめん」とベッドで泣く。

昨夜は苦しみバケツ一杯ほど吐いたという。今度は危ないような気がする。体重は四〇キロ位しかなく、おしりは老婆のように痩せてちいさい。水が飲みたいというので、氷を小さく砕いて口に入れると、

「ああ、おいしい」と笑った。

落ち着いたところで、小用があったので、お昼に一度家に帰り一休みした。たまたま友人の来客があり、妹のことを気にしながらも、いつものことだからとコーヒーを飲んで話し込んだ。それから病室に戻ると妹の姿がなく、不思議に思って探していると、慌ただしく駆け込んできた看護師さんが、

「容態が急変しました。早く集中治療室に！」

驚いて、駆けつけた。すでに妹の意識はなかった。私がコーヒーなど飲んでいる間に、きっと妹は苦しい呼吸の中で私の姿を探しただろう。心細かったにちがいない。手を握って欲しかっただろう。一人だけの姉に言っておきたいこともあっただろう。私は自分の愚かさが堪らなかった。

エッセイ教室では、自分が書いてきた作品を自分で朗読し、それから批評をしてもらう。これを読みながら、彼女は当時の様子を思い出して感情がたかぶり、途中で言葉を詰まらせたり、おいおい泣き出したりしてしまう。聞いている仲間はといえば、もらい泣きをする者あり、一歩退いて眺めている者ありだが、高野さんは自分の世界にすっかり浸りきっている。

そして読み終わると、鼻をかみ、涙をぬぐい、自分の感情の高ぶりを反省するのか恥ずかしそうに笑う。その後は気分がさばさばするらしく、明るくほかの人のエッセイの話題に入っていくのである。

精神衛生上たいへんよろしいではないか。悲しみや怒りは誰かに聞いてもらうことによって半減することがあるが、書くことでもそれは同じ効果があるように思う。文章にすると気分が落ち着くのだ。ましてや合評の場で仲間に聞いてもらうことは、抱えていたストレスを吐き出すことになるのだろう。

日々の生活に愛着を感じるようになる

青果店を営む桜井さんは、とても明るい性格だ。朗らかなその性格は商売に向いている。いかにも包容力がありそうな人で、彼女の書くエッセイはダイエットのこと、猫の話、客との応対などである。どのエッセイも明るくユーモアに満ちている。ユニークな目線で「何かエッセイのネタはないか」と題材を探す彼女の毎日は、さぞ楽しかろうと思わせる。

子供はどこから

桜井小百合

結婚して十一年。我が家には子供がいない。

晩婚だったこともあり、忙しく毎日を過ごしているうちに四十代後半になった。今では子供のいない生活も気楽で良い、と思っているが、世間さまはなかなかそれを許してくれない。近所のお婆さん達は、会う度に、

「子供はまだけ？　早く子供を作れし」

と言う。新婚当初から今日まで、ほぼ毎日言われ続けてきたような気がする。

時にはキツイ言葉もかけられる。

「子供がいないって事は、あんたはまだ人じゃあないだね」「子供がいなくて気楽でいいかも知れんけど、後で後悔するよ！」「子供がいないなんて、なんちゅうこんで。ほんとに可哀想」

つまり女は子供を産んでこそ一人前。子供がいることが当たり前と言うことだ。

「ぼつぼつ不妊治療に通ったら？」

と言われる事もある。

この十一年間、言われ続けて一時はノイローゼになりそうになった。言われる身としてはとても辛いのである。だから時々このばあさん達をぎゃふんと言わせたら、どんなに痛快だろうと思う。

ある日、また近所のばあさんが、

「子供はまだけ？」

と聞いてきた。あまりにしつこいので、私は少し芝居をしてみることにした。しおらしく、しみじみと言った。

「実はおばあちゃん、本当のことを言って、主人も私も、どうしたらいいか子供の作り方を知らないんです。どうやったら出来るんでしょう、一度ゆっくり教えてもらえないでしょうか」

ばあさんは目を見開き、グッと喉を詰まらせ、

「えっ、子供の作り方け！」

みるみる顔を赤らめて去って行った。

これはいい。これでいこう。しばらくは穏やかな日々が送れそうである。


このエッセイは、桜井さんが日常の何気ないひとこまを切り取って書いたものだ。ただの笑い話にも見えるこの作品には、苦労をたくましく笑い飛ばす彼女の強さが滲み出ている。読者はそこに共感を覚えるのだ。

平凡に繰り返される毎日の中から、エッセイの題材を探そうとすると物事の見え方が変わってくる。見慣れた部屋に見慣れた家族の顔。毎日通る通勤の道。エッセ

イに落とし込もうとすれば、目で見るのではなく、頭と心で見るようになる。愛着を持って丁寧に日々を過ごすようになるのも当然かもしれない。

受講生の作品紹介

長年エッセイ教室を続けてきた。途中で挫折した人もいれば、根気よく頑張っている人もいる。

それらの人の作品のなかから、いくつかを紹介したい。継続は力なりといわれるが、長い時間をかけて、自分の得意の世界を発見することも楽しいことである。

初めから上手な人などいない。ここに掲載されるのはみな初めてエッセイを学ぼうとした人たちである。学ぶから次第に気持ちが伝わるエッセイが書けるようになる。そして誰もがそれぞれに、それぞれの得意な世界があることがわかる。だから、誰のものでもないその自分の世界をじっくり磨いてゆけばよい。そうすることでさらにエッセイの力が向上してゆく。それは自分にとっても楽しいことである。

ラストラン

野村　直高

電車が発車する駅の階段を、けたたましく駆け降りてきたのは息子だった。

「ハァー、ハァー、間に合った」と、荒い息を吐きながら言った。

新宿発十七時三十分かいじ号が、私のラストラン（運転士としての最後の運転）である事を、妻から聞いていた息子は、仕事を早く終え駆けつけてくれたのだ。

「おとうさん、長い間運転御苦労さんでした」

息子ははにかみながら言った。


中央線は全国でも一番厳しい線区である。

電車の運転のときは、人身事故や停止位置不良等が、いつ発生するかの不安があった。

ラストランを無事終えて自宅に戻ると、大きな花カゴが玄関に飾ってあった。

誰がくれたのだろう。妻が言った。

息子が花屋をやっている同級生に連絡して配達してくれたという。

その花束には「運転ごくろうさまでした」と、手紙がついていた。

私は嬉しくて戸惑っていたら、日頃なにかにつけて私に厳しい妻が、

「あなたよかったね」

と久しぶりに、にこにこ笑った。

思い返せば、自分は息子にいつも厳しいばかりの父親だった。息子が小さいときプロ野球の観戦に連れて行ったことがある。その時、息子がどうしても欲しいとねだる選手のグッズを私は買ってやらなかった。すると息子は帰りの電車の中で、泣きながら歯型が付くほど私の腕に力一杯噛みついた。

そして悔し涙で寝てしまったのだ。思えば、少年野球の監督だった私は、特に息子ばかり叱咤や辛い思いをさせたような気がする。

しかし、小学生の時の息子は、「僕のお父さんは人の命を預かる大事な仕事をしている」と、同級生に自慢していた。

その見事な花カゴを見ていると、あの頃の息子を思い出してほろりとした。

【講評】

エッセイ教室の受講生はほとんどが女性である。野村さんは数少ない男性でエッセイ教室の初めのころから皆勤で通ってきた。もともと鉄道の運転士をしていた人で、とても律儀な方である。

このエッセイはその野村さんが運転士として最後の仕事をしたとき、息子が現場に駆け付け、家にお祝いの花束を飾ってくれたエピソードである。それだけなら、感動の話だが、実は息子が少年時代、どうしても欲しかったものを与えなかったという思い出が蘇る。それにより息子の行動に対する嬉しい思いが濃く表現されることになる。そこが良い。

飴と馬

雨宮登喜子

シニアの女性仲間九人が、月に一度山の中の湯に行く集まりがある。湯に温まり、休憩の時菓子をつまみながら、毎回順番に近況を語る。昨日は八〇歳になるケイコさんの番だった。端っこに座りいつも大人しいケイコさんは、ぽつぽつと六五年前のことを話し始めた。

冬になると両親が山に入って炭を焼くのだという。家族総出で炭をつめる俵をたくさん編んでおいて、それに焼いた炭をつめ込み、今度は馬の背に乗った鞍に左右三俵ずつくくりつけて、甲府に売りに山をくだる。その役を小柄なケイコさんが受け持つ。

母親が用意してくれたうめ干入りの塩むすびと、七五三の袋に入っているあの長いあめの棒一本を持って手綱を引く。

途中あめの棒を三等分して、一本は馬にもう一本はいつもついてくる犬に、そしてのこりの一本は自分がなめながら凍り付いた山道を下る。馬にはかんじきをはかせ、自分はズックをはいた足に荒縄をぐるぐる巻きにしてすべらない様な手だてをしてゆっくり歩く。

毎日毎日こんな生活が続いていたので、最初にあめを与えた場所に近づくと、手綱を引く自分の背中をあの馬面でつつくのだという。あめがほしいという合図なのだ。そして三分の一を口に入れてあげると、大きな歯と歯を左右に、あごがはずれそうなくらい大きく動かし、よだれをたらたらこぼしながらおいしそうに食べる。

その形相があまりにもおかしくて、くすくす笑いながら手綱を引いていた。

あの大きな身体と白い歯をむき出しにした口が最初はとてもこわかったという。

「馬に弱みを見せると言うことを聞かなくなるから、手綱を力いっぱい引っぱって、堂々と、馬の鼻面の前に立って、目を合わせないようにして先へ先へ歩くさ。あたしは馬と仲良くなって、ようやくその扱いも何となくわかるようになったさ。それからは親の手伝いも少しずつ出来るようになっただよ」

ケイコさんは話し終わると恥ずかしそうに笑った。「手綱を力いっぱい引っぱって、堂々と、馬の鼻面の前に立ち目を合わせないようにして先へ先へと歩いていく」

十五歳の少女があの大きな馬を操る姿は、想像するだけでも大変なことだと思う。彼女は必死に生きていたのだ。

彼女にもらった飴をおいしそうにしゃぶる馬。そんなケイコさんの体験がとても温かく感じられた会だった。

【講評】

山奥に住む貧しい少女が、馬に炭を積んで犬と甲府に売りに行く。峠を越えてゆくその三者の絵姿だけでも、読む者を惹きつける。特に馬が飴を欲して食べる姿は圧巻である。題材が人を惹きつける内容であること。そして生きることに懸命な少女と馬の姿が熱く胸を打つ。

他人のエピソードだが、それを聞く耳を持ち、これを自分が記録すれば、その思いを広く紹介することができる。聞く耳を持つ大切さを感じさせるエッセイである。

タイマーとハンコ

進藤　善子

内蔵してあるリチウム電池が消耗して、炊飯ジャーのタイマーが作動しなくなった。トリセツには、リチウム電池は専用品なので販売店に依頼するようにとある。

交換に二時間ぐらいは待つのかなと、雑誌を持参して買った量販店に持ち込んだら、なんと二週間近くかかるという。「技術のあるいわゆる町の電気屋さんなら部品さえあればそう時間は要らないのですが……本社に送るシステムなので時間がかかるのです」と店員は恐縮しながら言う。

娘の小学校の同級生ツトム君のおとうさんがいればなあ。でももうとっくに廃業して引っ越してしまい〈電化のジョイ〉は成人したツトム君が、こぢんまりしたおしゃれな紳士服オーダー店に変えた。もう一軒の少し大きめの〈でんきはうすYOU〉もオール貸店舗になってから早十年経つ。

買うときは安い量販店に行って、困った時だけ町の電気屋さんを探すなんて、ムシのいい話なのだとしみじみ思う。

「八年使ったんだから買い替えろし」と夫は気安く言うが、見た目はきれいだし炊飯と保温の基本的機能はOKなのだからとてもその決心はつかない。あちこち不具合が出てきた我が身とダブる。

で、これからは私より早起きの夫に炊飯ボタンを押してもらうことにした。これでしばらく様子を見ることにする。

思えばタイマーなんて〝余計っこん〟[※]なのかも知れない。あれば便利だけれどなくてもどうにかなる。

そう言えば新型コロナ騒動で生活様式の変化が求められて、学校の卒業式、入学式、運動会の開閉会式なども大きく簡素化されたそうだ。その一つとして各式の来賓の招待、紹介、祝辞が一切なくなり、実はそれは保護者や子どもたちに大好評だったらしいと、花屋のおばちゃんが話してくれた。人選・席順・敬称に神経をすり減らさなくて済む教頭先生も殊のほかほっとしていたようだ。

目から鱗の感がある。省略したからと言って式の本質が変わるわけではないだろう。仲人を立てない結婚式は当たり前になっているし、家族葬が増えていることもこの延長線上にあるのかも知れない。

ところで最近ちょっと話題になっているのが『脱ハンコ』。新型コロナ関連でリモート勤務が増えたものの、押印のための出勤は避けられない。それやこれやで話題の中心になっていったのか、もっと歴史的なものがあるのかどうか。文科省も動き出したと新聞にあった。時代の流れを痛感する。

が、実は私はここで立ち止まってしまう。ハンコのあの朱い色に心が騒ぐのだ。婚姻届けの時、各種契約の時、手術承諾の時など、人生の重要な場面にはいつもあの色があった。期待や不安と決意があの朱い色に凝縮されていた。長い間に沁み込んだ思いはなかなか消えてくれない。

ハンコなんてタイマーみたいなものかも知れないんだけれど。

※「余計っこん」=「余計なこと」の意の甲州方言

【講評】

量販店で電気製品を買うが、問題が生ずると、近所の電気屋さんに行く。これは庶民の一般的な傾向である。その電気屋さんも最近なくなりつつある。こういう感覚は誰でも納得するような日ごろ感じていることである。よって読み手は共感する。「ハンコ」は役所でも使わないようにする「脱ハンコ」傾向が出てきた。時代の流れである。このエッセイの本領は、「ハンコ」の朱色に着眼したところにある。直感的感覚とでもいおうか、婚姻届けの時、各種契約の時、手術承諾の時など、重要な場面で押されたハンコの朱色。それが印象深いと言う。色彩に託して「ハンコ」との決別を取り上げたところがうまいと思う。

お接待

深澤　正名

四国八十八か所霊場を一番より歩き始めて五日目、徳島平野の中央部で海にもやや近い所まで来た。十三番大日寺の向かいには阿波の国「一の宮」があり、少し行くと十五番国分寺であり、地名も「国府（こう）」という。この辺りが古代阿波の国の中心地かなと思いつつ、国分寺の近くの大御和（おおみわ）神社に腰を下ろしおにぎりをほおばっていると、神社にお参りを済ませた二人の媼が寄ってきた。何処からと聞かれ、山梨と答えると、自分の娘が笛吹市に嫁いでいる、孫が出来たが遠くてまだ見に行ってないと言い、お接待と三百円をくれた。お金を貰うのは何とも妙な気分であった。

全く見ず知らずの人に、何の見返りを期待することなくお金や物をあげるお接待とは何だろう。いろいろ考えて、御賽銭のようなものかもしれないと思ったりした。自分などは祖父から「うまいもんを食ったら油断するな」とか「只より高いものはない」などと教わったが、四国にはそう思わせない文化があるようだ。

この先も、色々なお接待に与った。例えば、十七番井戸寺の近くでは焼き物の小さな蛙を、自分で焼いた蛙だが「無事にかえる」お守りにして持って行ってくれとか。高知の海辺の道では、追い越した車が少し前で止まったのでどうしたのかなと思っていると、出勤途中らしい中年男性が降りてきて、この先まだ遠いから頑張ってとドリンクとお菓子を差し出された。また、三十七番霊場への遍路道の入り口の人家もまばらになってきたところで、奥平はつさんという九十歳のおばあちゃんに、ちょっと待っていてと言われて、手製の小物入れとペットボトル入りの温かいお茶を持ってきてくれた。この先人家の無い長い峠道と知った時は後の祭りで、手持ちの水も僅かだったから本当に有難かった。

個人で小屋を設けて、「休んで行って下さい」と看板を掛けて開けておき、中でコーヒーやお菓子をお接待しているところ、付近の町内会等の有志が交替で対応しているところなどあった。町内会の有志には遍路文化や遍路に関わる遺跡などに詳しい人もおり、歩き遍路にとって、数少ない住人との接触の機会でもあり、彼らの知識を興味深く拝聴した。

その他、いくつかの民宿では洗濯やおにぎりなどのお接待をして戴いた。特に、山道にかかる時のおにぎりは有難かった。また、三十番善楽寺近くのホテルサンピアセリーズでは宿泊料金半額の五千二百円、松山ユースホステルでは相部屋で一泊二食二千八百円と言うように「遍路料金」というのもあった。更には、「善根宿」というのもある。無料で一夜の宿を提供してくれるのである。布団のあるところや食事つきのこともあるという。自分は汚いとか危険ではなどと思う気持ちに勝てず、このお接待には与らなかったが、こういう中に先達や修行者がおり、遍路の何たるかを学んだり、同宿の仲間同士の縁が結ばれることもあるそうである。

遍路道中、いろいろなお接待を受けたが、お接待は物やお金とは限らない。四十四番大寶寺への途中、遍路道は大瀬町と言う小さな田舎町の大江健三郎さんの生まれた家の前を通る。二階建ての格子の入った旧家で、長男のご家族が住まわれているという。この町中を通ったときはちょうど通学時間で、新入学の小学生も、自転車の中学生も又通りに出ている大人も挨拶してくれる。おはようと言うだけで気持ちの良いものである。皆が皆挨拶してくれると、こういうところから優れた人が生まれるんだなどと思ってしまう。仏教でも顔施とか言辞施とかいい、優しい顔をする、言葉を掛ける等大切な布施であると教えている。気持ちの良いお接待である。

四十七番八坂寺を出て遍路道を少し歩き車道へと出て、案内の地図も車道になっているので疑いもせずその道をずんずん進んだ。朝まだ早い時刻の歩き始めで気持ち良い。一時間くらい歩いたろうか、一台の車が止まって、お遍路さん何処へゆくのと訊く、西林寺にと答えると車のお兄ちゃんは、こちらには霊場はないよ、西林寺なら向こうの方だよと遥か彼方を指す。実はその道は出来たばかりでまだ地図にない道であった。全く見当違いの方向に来ていたのである。教えてもらわねば何処まで行っていたか。また、翌日の五十二番太山寺への道では、途中のT字路で曲がるべきを案内を見落として真っ直ぐ進んでしまった。しばらくすると、女の人が息せき切って追いかけてきて、お遍路さんあそこで曲がるんだよと教えてくれた。ちょうどT字路にある家の主婦の方で、道路に面したお勝手の前を通過するお遍路さんは道を間違っているので、お勝手仕事をしている時はすぐに声をかけ教えているという。今日は庭に居たので見過ごしてしまって、とわざわざ追いかけて来てくれたのである。間違う人が結構いるんだよと慰められた。お兄ちゃん、母ちゃん有り難う、感謝感謝だ。四国では皆が遍路を見守ってくれているのだ。これも素晴らしいお接待である。

【講評】

定年後旅した「四国遍路」の体験を書いた。

これを読むと、遍路に対する「お接待」と呼ばれる土地の人々の対応が、いかに今の日本で大切に受け継がれているかがわかる。受け継ぐべき貴重な伝統であると思う。

改めてその対応を経験することで、作者とともに「四国遍路」の意義を考えさせられる。

このように、珍しい体験を書くことも、知らない人には大変興味のあることだ。前にも述べたが誰しも知らないことには関心がある。良い体験であれば余計に自分の参考になり、自分で実行してみたくなるかもしれない。新しい学びの機会が訪れることになる。そういう意味でも行動を書いてみることには意味がある。

母を選んだ父

丸茂　一文

「あら、やだよー。お前は親から何も聞いていなかったのかねぇ」

と、叔母は余計なことを言ってしまったという当惑した表情であった。姉と私は父親が違うというドラマのような話に驚いていた。父から戦争体験を聞いた二十歳の年のことである。その時は両親は結婚について話したくない事情があるのだろうと、両親を前にしても結婚について尋ねることはなかった。

父は八人兄弟で、八ヶ岳の麓、小淵沢町の生まれで、実家には兵士の遺影が掲げられていた。それが父の兄であり、実家では二男の範芳氏であった。父は昭和十七年に入隊してから北満州の歩兵四十九連隊では幹部だった範芳氏を官舎に訪ねることもあり、父にとって軍隊生活の心の支えになっていた。その官舎には妻も一緒に暮らしていた。後に範芳氏はフィリピンのルソン島・バンバンで戦死し、同じ時、父はフィリピンのレイテ島からセブ島に転進し、戦火の中にいた。

範芳氏がフィリピンに向かう途中の釜山で妻宛に出した手紙が見つかった。「御腹の子供の発育どうだ、立派に御産をし、立派に発育せしめよ。二、三年後には面会できることを確信している」と。妻は妊娠しており、お腹の子供のこと、実家のことを心配した内容であった。

そして同じ机の中からは父が母に宛てた手紙も見つかった。

レイテ島から生還できた父は、国民学校に復職し、このときに範芳氏の妻である母との結婚を決意し、手紙にはその決意の程が記されていた。「ご両親を安心させて、子供を素直な人間に育成するために」と婿になることを決意した父は、母の家の発展と母の連れ子であった姉をしっかり育てたい旨を母に伝えていた。

父が母と結婚してから、父が戦後に復職した国民学校で一緒に勤務した若い女性の教師が、父のことを思って訪ねてきたという。その時の若い女性の気持ちと共に、若い女性の突然の出現に驚き動揺した母と父を思った。母は父よりも七歳年上で、そのうえ連れ子がいたのだから、婿にきてくれた父に感謝していただろう。そこに若い女性が出現したのである。

父は何故母との結婚を選んだのか。満州での生活は演習や訓練の厳しい毎日であった。そんな日々のなか、官舎の兄夫婦を訪ね、励まされていた。特に母の存在は、まもなく戦場にいく不安なときに、父にとって砂漠のなかのオアシスのようであったと話してくれたことがある。母の温もり、優しさを感じ、父は少なからず母に好意を持っただろう。その母が夫を亡くし、失意のなかにいたときに手をさしのべたのが父だった。

背が高く、切れ長の涼しい顔立ちの母であった。小学校の授業参観では母が他の人に比べ美人に見え、誇らしく思ったものだ。

戦後の父の新しい出発の地、国民学校のあった笛吹市を訪ねてみた。教え子が懐かしく父の話をしてくれ、熱心に子どもたちと関わっていた青年教師の父がいた。

その訪問の帰り、一緒に勤務し、結婚した父をはるばると訪ねてきた若い女性教師のお宅を訪問した。前年に亡くなったことを妹さんから聞いたのだが、妹さんはアルバムから父と女性が一緒に写っている写真を見せてくれた。二人は若々しく、満面の笑顔で肩を寄せ合っていた。女性の可愛らしい表情には父を意識していることが感じられた。

帰りの車中では、写真の中の幸せそうな二人のことを思った。そして両親のことも。

写真の中の若い女性は初々しかった。それに対して母は父より年上で、子連れで、そのうえ父は婿になるのである。それでも父は若い女性でなく母との結婚を選んだのだ。

父の母への熱い思いが私の中に広がっていた。

【講評】

戦死した兄の妻と再婚した自分の父親と、母親について書いている。なぜ兄の妻と再婚したのかは、父親が中国の戦場にいたとき、兄の妻が「砂漠のなかのオアシスのよう」な存在であったのが理由のようだ。父親より七歳年上の兄の妻は筆者の母親でもある。それだけならそういうこともあるか、と感想を持つのだが、実は教員をしていた父親は、結婚する前に思いを寄せられていたらしい女性がいたことがわかる。その女性を諦め、連れ子もいる兄の妻と結婚した父親の気持ちを重ねた。戦争は人間の暮らしを狂わせるが、運命を自分なりに生きた人もいて、救いを感じさせるエッセイになった。

戦中の山梨の川柳

仲澤　弁膜

戦争は一人の独裁者により、国と国民を異常にします。それを可能にするには上から抑える力しかありません。日本も治安維持法などによって民衆の言論は公然と奪われていきました。川柳は人間の生活を詠む文芸です。人間の本音の部分を詠み、十七音で喜怒哀楽を表現する、これが川柳の基本だと思います。では、戦中の川柳界はどんなだったでしょうか、調べてみました。

昭和五十二年九月発行の川柳誌「青空」では、雨宮八重夫氏が山梨川柳協会の設立について記しています。それによると、山梨川柳協会の設立は昭和十六年です。

この年は日本軍がハワイ真珠湾を攻撃し、大勝利をした年、日本中は戦勝気分に酔っていた時です。雨宮氏によれば、第四回の総会は昭和十九年二月十三日、甲府市柳町の奥村そば店で行われました。「定刻の午前九時までには戦斗帽に巻脚絆というでたちで三三五々集り、前夜入峡の村田周魚以下東京部隊と共に会場に陣取り、宿題八題、席題五題、対抗吟に挑み」ました。

また、第四回総会時のものとして、

◎誓いの言葉

一、我等は国策を遵守すべし

一、我等は川柳もて一路必勝に邁進すべし
一、我等は川柳もて出征将士白衣勇士竝に其の遺家族をねぎらふべし
一、我等は川柳もて生産増強に努力すべし
一、我等は川柳もて各戦士を慰問すべし
一、我等は川柳もて銃後の結束を固うすべし
一、我等は川柳もて生活の明朗化に尽すべし
右天地神明に誓ふ

という言葉が引用されています。
そうした状況下にあって、総会の句会ではどのような川柳が生まれたのでしょうか。これも、雨宮氏の文章から引いてみます。

「神風」　篠原春雨選

玉砂利に伏せば春風神の風　船馬
神風の加護さと語る殊動甲　若柳
丸刈りへ神風がある二重橋　真樹

「勝」　中沢紫雲選

撃滅の字ばかり少年工の手記　きよ緒

訪問記勝つ国の母只の母　喜水

茶殻干す母にどの子も勝ちつづく　糸美

「志願」　磯部鈴波選

靖国の父に誓った子の志願　風柳

志願する子と足並の揃う道　きよ緒

予科連へ送って母にある誇り　若柳

「孝心」　井上了洋選

母の年勝ち抜く日まで生かしたい　突風

孝心がまだ通じない子の祈り　春路

母に此の喜びを書く初飛行　糸美

戦争は川柳すらこんな句を作るようにしてしまう。皆さんはこの句を見てどう思いますか。

【講評】

中澤さんは川柳を趣味とする。山梨の川柳が戦時下にいかにあったかを書いた。戦争を知る世代がその愚かさを若者に伝えることは、月日と共に困難になってゆく観があるが、そのことは今のシニア世代の使命であると私は考える。ちなみに中澤さんは二〇二一年五月に亡くなられた。

川柳はともすれば失望しがちな生活の中で生きる元気をくれる手法でもある。その川柳もまた戦時下では戦意高揚の手段に使われた。山梨川柳協会の「誓いの言葉」にそれがよく表れている。また、「神風」をはじめ、それらの川柳も国民が戦争に加担した記録でもある。再びこういうことがないように、歴史を学び若い世代に伝えたい。

見えない足跡

水月　さえ

立春を迎えた朝、降り積もった雪の上にいくつかの足跡を見つけた。小さな靴が、ふたり分。近所の小学生、サキちゃんとユウくんだろう。すべらないようにそろりそろりと歩いていく様子が目に浮かんだ。

こっちには、大きな靴と動物の足跡。タケさんとシバだな。雪の日もちゃんと散歩しているのか。タケさん、シバのことを目に入れても痛くないほど可愛がっているから、行こう行こうってねだられて、散歩に出たんだろう。

あっちには小さめだけど大人の靴。ひとり、道路を横切っていく足跡。梅林の隣りにひとり暮らししているハルエばあちゃんの家の方まで続いている。きっと、ミチコさんだ。雪が降って心配になり、顔を見に行ったんだろう。

そう言えばわたしもついこのあいだまで、はす向かいにひとり暮らすワタルじいちゃんの家によくご機嫌うかがいに足を運んでいた。暮れの冷え込んだ日に亡くなるまでは、雪の日にこんなふうに足跡をつけて大根の煮物なんかを持っていったりもした。

「もうワタルじいちゃんの家に向かうわたしの足跡は、つかないんだなあ」

そう考えたとき、ふっと時間が後戻りしたかのように見えた気がした。雪に隠されたたくさんの見えない足跡が。

毎日学校へ通うサキちゃんとユウくんの足跡。朝夕散歩するタケさんとシバの足跡。ハルエばあちゃんの家へちょこちょこと顔を見に行くミチコさんの足跡。そして、わたしがワタルじいちゃんの家へと向かった足跡も。

雪の上についた足跡のように目には見えないけれど、わたしたちは日々足跡をつけて歩いている。誰にも見えない、決して消えることのない足跡を。


【講評】

人の生きる営みの足跡を雪が消していく。雪で足跡こそ見えないが、かつての人間の行動や想いはその下に確かに存在する。そのことを、文章で確かめていくオリジナルな発想が秀逸である。

経済が疲弊して久しい世の中、仕事よりも趣味に自分のありようを求める姿は、これからも年々増えていくような気がする。私の周りでも、高齢者は特にこの傾向が強い。絵画、短文芸、詩吟、合唱、水石、盆栽、フラダンスから御詠歌というのもある。

その中でも、自分の人生に寄り添って文章を綴るエッセイは、とても良い趣味だと思うのだ。特別な準備も不要だから、今日からでも始められる。好きなことを好きなように書いて、そしてできれば数人で合評する機会を得て欲しい。読んで語り合い、共感したり、反感を持ったり。他人の生き様から学び合うことも少なくないと私は思っている。その作業は、繰り返すうちに自分を高めているとも思うのだ。

エッセイコンクールに入選して賞金を稼ぎたい人も、日記のような記録として書く人も、自分の気持ちを癒すために書く人も、さまざまあっていい。一人にひとつの人生があるのだから、それを文章にすれば、その日から誰もがエッセイストだ。

さあ、大いにエッセイを楽しもう。

付　自分史を書こう

なぜ自分史を書くか。身の丈で語る自分史

エッセイ教室のメンバーは四分の三が女性、残り四分の一が男性であり、そのほとんどが中高年層である。定年退職して、あるいは子育てを終えて、時間に余裕ができる年代だ。高齢になればなるほど自分史のようなものを残したいという声を聞く。人生の終末を前にして自分の足跡を文章にして残し、親戚や、孫、知人友人に配るというのも、最後のまとめとして良いことだ。自分史は出世したり成功したり、そういう人だけのものではない。平凡に思える人生こそ、得がたくかけがえのないものである。

また毎日こつこつ文章を書いて、自分史をまとめるのは脳の活性化にも良いだろ

う。この場合は文章さえ正確であれば、とくに名文である必要もない。普段のありのままの、自分の声で書いていけばいいわけだ。自分が主人公である物語は書いていて楽しくさえあると思う。

自分をよく見せようとして自慢話を書く人がいるが、エッセイでは自慢話を書かないことが鉄則で、自分史も同じだと思う。自分の失敗を正直に書くのも読む人の心を惹きつけるだろう。

これもエッセイと同じく、自分史を書くときには必要に応じて、詳しい人に見てもらうという手もある。そういう人に一度読んでもらえば自分の欠点がわかる。自分では良くできていると思っても、大抵「ひとりよがり」の場合が多い。他人から見れば本人が思うほどでないことはいくらでもある。だから他人の、出来れば詳しい人に少々お金をかけてでも見てもらうのがいいだろう。だからまず自分としては伸び伸びと書けばいいのである。

また一冊にまとめる場合、印刷・製本の値段も、どの程度の本にするかによるが、作り方で安くもなる。これはあくまで私見だが、なかには、ここぞとばかりに大金をかけて厚い箱入りの豪華版を作る人もいる。そういう場合、得てして中身と外面がちぐはぐなことが多い。金ばかりかけても中身がともなわないのはどうか。豪華版もそれはそれでよいが、配りきれずに余った大量の本を遺族が有価物の日に出すのはもったいない。好みの問題だが、自分史は見てくれより中身が問題だと私は思う。この手の本はなんと言っても手軽さ、本人らしさにあふれているというところが勝負どころではないだろうか。

エッセイ教室で共に学びながら感じることは、一回限りの人生で、自分の記録を残すことは大事だということである。例えば甲府空襲について、女性たちが『そのときわたしは子どもだった』（甲府市社会教育センターなでしこ成人学級・一九九五年）をまとめている。子供の時に経験した戦争体験を記録しているのである。その著者の多くは高齢になり、すでに物故した人も多い。しかし、その貴重な記録は愚かな戦争を再び経験することがないように後世に残る。

人生は人それぞれだが、世間で言うところの成功した人生もそうでない人生もある。とかく自分史には、会社の社長や、人生で何か物事をなした人物が残すようなイメージはないだろうか。私は普通の人の、普通の自分史があってよいと思う。一般人が高齢期を迎えて、その人生を振り返り、果たして自分の人生がどのようなものであったか考えることはあってもよい。

世間の多くの人々に語りかける自分史があってもよいように、自分の子供や孫、友人知人に、自分の人生がどんなものであったかを書いておくことも、老人の余暇に必要なことだと思う。別に豪華な本にまとめることもない。記録しておけば、誰でも読むことができる。

二〇二〇年、私の叔母が亡くなった。叔母は独身のキャリアウーマンだったが、相続人である私は、その整理にあたり、彼女の日記や手紙を読む機会があった。それを読むと、普段の生活とは違う、彼女が考えていたことや、個人的な思いが正直に書かれていて、改めて叔母の知らなかった面を知り、懐かしく思ったものである。

人生の失敗や、思い違い、人との別離と、人間にはいいことばかりではない。生きている以上、それらに耐えながら、よりよい人生を求めて歩まなければならない。そのとききっと参考になることもある。また、参考にならなくても、「ああこの人はこういう人生だったのだ」と知ることも楽しい。

死ねば灰になり土になる。その土の一粒が生きていた頃の姿を記録で伝えるのである。

夫の追悼集を残した女性——書いておくことで気持ちが救われる

エッセイ教室に通ってきた女性で、難病で亡くなったご主人の追悼集をまとめた志村久子さんという方がいる。

『特発性間質性肺炎と闘った—パパ　愛をありがとう—』という本で、ご主人の志村俊さんの追悼集である。

志村俊さんは大手の製作所の真面目な技術者であった。定年後間もなく「特発性間質性肺炎」という難病にかかった。これは「肺の構成成分である間質と呼ばれる部分に炎症が発症する病気で、その原因はわからない」といわれているが、タバコなどはよくないらしい。

妻、つまり久子さんはその厳しい看護に耐えたのだが、数年後ご主人は帰らぬ人になった。私はその追悼集の原稿を見て、活字として残すのに値すると考え、編集に協力することにした。そして追悼集は完成した。

それから、月日は流れ十年後、彼女から喪中の年賀欠礼状が来た。今度は長男が亡くなったというのである。長男はまだ四十代である。

彼女には男の子と女の子の二人の子供がいて、男の子は幼いとき心疾患の手術をした。

成人して普通のサラリーマンになったのだが、病気はつきまとい、ついにこれを乗り越えることはできなかったのだ。女の子は父親がまだ生きているとき結婚し、父親は孫の顔を見たがったが、見ることなく亡くなった。

久子さんは、東京から山梨に嫁したのだが、普段あまり地元の親戚付き合いがなかった。長女は都会に出ていて、長男は独身で、別に住んでいる。ご主人亡き後は長男を精神的に頼りにしながら生きていた。その長男が亡くなったのである。そういう厳しい人生を生きた女性が、ご主人の最期を看取る記録をまとめておいたことが、後世の人々にどんなに励ましと参考になるか、私は改めて深く感じた。

私たちの日常においても、毎日はいろいろ悩みの連続である。多かれ少なかれ悩みの海を漂いながら、時々ほっとする時間が持てれば幸せを感じる。そんな日々の中で自分の気持ちを書いてみることで、その気持ちの整理をすることができる。書くことで気持ちが救われるのである。

エッセイのところでも書いたように、老いては脳のトレーニングにも良い。決して大仰に構えることはない。思いのままに書けばよいのだ。いつかきっとそれが自分の反省になり、励ましにもなる。だからこそ自分史をお奨めしたい。

では何から書き始めればよいか

自分史をどこから始めればよいか、それは各自の好みでもあるが、どうすればよいかわからない人は、年代順に取り掛かると書きやすいかもしれない。生まれた時から今日までの自分を振り返り、人に伝えたいエピソードをまず箇条書きに書きだす。それらをまとめてゆけばよい。この場合自分の忘れられないエピソードがよい。ここで注意することがある。それらをあげてみる。

㈠　自慢話をしない

エッセイもそうだが、誰も自分の自慢話が好きだ。自慢をしていないようでも結局はそこにおちいったりする。人は他人の自慢話など読みたくない。だからどうしても書きたいときは気を付けて書くことである。

㈡　後悔を書く

誰にもあの時ああすればよかったと後悔することがある。例えば愛犬や愛猫を病気で失うときなど、果たして最期まで手を尽くせたかどうか自問自答することになる。その想いを書くことで、自分の心の犬猫の供養にもなるのである。

㈢　忘れられない感動したこと、嬉しかったことを書く

これは読み手の共感を得やすい。

㈣　忘れられない怒り、後悔を具体的に書く

不謹慎かもしれないが、読み手にとって他人の不幸は蜜の味である。

㈤　悲しかったことを書く

人にもよるが、誰でも人生の八十パーセントは悲しい思い出に満ちていると私は

すい。

思う。明るい良い思い出は少ない。これも前者の場合と同じで、読者の共感を得や

㈥　人の知らないことを書く

身近な人の自分史は、その人物について読み手が知っていると思うから親しみやすく、社会的に功を成し遂げた人より興味深い。が、また身近な人でもおや？　と思うような事実があればそれはまた楽しいことである。

㈦　一人に伝わればよい

自分の残したものはたとえ一人にでも伝わればよい。人はみな死んでいく。しかしどんな小さな自分史でも、残しておけば誰かが読んでくれる。図書館の片隅で五十年後、百年後に誰かを待っているかもしれない。

一人でよい。一人が「ああ、こういう人生を送った人物がいた」とあなたの記録を読んでくれるだけでよいのだ。

㈧　老いを生きる

趣味やスポーツなど、老人はいろいろなことに持て余す時間を使う。人にはそれ

ぞれの向き不向きがあり、自分のしたいことをすればよい。自分は自分史を書くほどの人物ではないと思いがちだが、そんな自分も一粒の生命として地上に誕生した。その一粒の思いやつぶやきを書けばよい。

㈨　お金はかけない

本となるとお金がかかると考えがちだ。勿論装丁など金をかければいくらでも豪華な本ができる。しかし、そういう本ほど中身がなくてつまらないことが多い。

簡単な製本でまとめることもできる。出来る範囲の金額で作ればよいのである。歳が来たから死ぬ。なんだかそれだけではつまらないではないか。

あとがき

文芸雑誌『文芸思潮』エッセイ賞審査員十五年、他に石橋湛山平和賞（論文・エッセイ）、やまなし県民文化祭文学部門、自分のエッセイ教室など、今まで大勢のみなさんのエッセイを読んだ。読むことは学ぶことで、俗に、コンクールの審査員の間で「頭と最後を読めばその作品がどのようなものであるかわかる」と言われるが、自分もそのことがわかるようになった。その直感は自分のささやかな財産のような気がする。

この新書は『文芸思潮』に九回にわたり連載した「水木亮のワンポイントエッセイ」が基礎になっている。

よりよいエッセイの技術は学んでいけば習得することができる。問題は何を書くかである。高齢化社会と言われ平均寿命もますます高くなる現在、高齢者の精神的時間的余裕も生まれる。体によい運動はもちろんのこと、文章を書いてまとめるという知的作業は認知症予防にも役立つであろう。

人間にとって人生は一回限りである。それぞれがそれぞれの人生を送ってきた。その人だけが知る自分の人生の喜怒哀楽を記録にまとめることは、友人、知人、家族、孫の生きるための参考になるはずである。もちろん書くことを苦手とし希望しないことは個人の自由だが、何も残さず亡くなるというのも寂しいことだ。

山梨日日新聞に「ひとこと」という、読者が生活の中で感じたことを投稿し、これを掲載している欄がある。書き手にも読み手にも内容が身近なことばかりでわかりやすい。特に老人の文章には癒される。こうした投稿欄はシニアにとってまたとない機会である。お金をかけず自分の書いた文章が、ほぼ八割近い山梨県民の目に触れるのである。ここから仲間が生れたり、日ごろの出来事に対する共通理解が生まれる。精神的な安堵は老人には特に快いものである。

俳句や短歌、詩や書道、絵画などいろいろな趣味が人生を豊かにするように、あなたもエッセイを書いてみよう。きっと癒される機会があると思う。

この新書をまとめるにあたり、エッセイ教室の徳山容子さんに原稿整理を手伝っていただいた。また編集にあたりお世話になった山梨日日新聞社出版部の風間さんに感謝したい。

二〇二一年六月

水木　亮

■著者略歴

水木　亮　みずき・りょう

早稲田大学卒業　同大学院（演劇）修了
昭和17（1942）年生まれ。昭和58年に、劇団「コメディ・オブ・イエスタデイ」を創立し主宰する。

小説「祝祭」で平成11（1999）年度、第16回織田作之助賞を受賞、「文学界」に全文掲載。

小説「お見合いツアー」で平成17年度、第49回農民文学賞を受賞。

小説「峠の念仏踊り」で平成26年度、第62回地上文学賞を受賞。

戯曲集『うすべにのやみいとしの落花』（門土社総合出版）『母の名は山崎けさのと申します』（テアトロ）『美しい朝の国』（カモミール社）。

その他『山梨の民俗芸能』（勉誠出版）、エッセイ集『雪之丞君への手紙』（山梨ふるさと文庫）、短編集『峠の念仏踊り』（山梨日日新聞社）等の著書がある。

エッセイを書こう　心を伝える楽しみ

2021年８月31日　第１刷発行
2024年６月12日　第２刷発行

著　書　水木　亮
発　行　山梨日日新聞社

〒400-8515　甲府市北口二丁目６-10

TEL　055-231-3105

ISBN978-4-89710-727-1
定価はカバーに印刷してあります。